新編清語摘抄

附索引

關　克　笑
王　佩　環　合編
沈　　微　祿
關　嘉　祿

文史哲出版社印行

國立中央圖書館出版品預行編目資料

新編清語摘抄 / 關克笑等合編. -- 初版. -- 臺
北市：文史哲，民81
　　面；　　公分
　含索引
　ISBN 957-547-101-6 （精裝）

1. 滿州語 - 字典,辭典

802.9139　　　　　　○　　　　　81000685

新編清語摘抄 附索引

編　　　者：	關　克　笑・王　佩　環
	沈　　　微・關　嘉　祿
出　版　者：	文　史　哲　出　版　社
登記證字號：	行政院新聞局局版臺業字第五三七號
發　行　人：	彭　　　正　　　雄
發　行　所：	文　史　哲　出　版　社
印　刷　者：	文　史　哲　出　版　社

臺北市羅斯福路一段七十二巷四號
郵　撥：○五一二八八一二彭正雄帳戶
電　話：三　五　一　一　○　二　八

實價新台幣 六○○元

中華民國八十一年二月初版

新編清語摘抄自序

　　公元一九七九年神州已是風平浪靜，日明月朗，百廢俱興。在學術百花園中，滿學的蓓蕾亦悄然枝頭。浩如煙海彌足珍貴的滿文歷史檔案史料的發掘利用勢在必行急需孔亟，因而翻譯滿文之工具書是為舉足輕重。然有清一代遺世之工具書雖自有千秋，但亦有未盡人意之處。"工欲善其事必先利其器"，于滿文翻譯而言，器者工具書是也。由是，有一套便于檢尋一索即得的工具書的欲念油然而生，遂萌在前輩艱辛之上做狗尾續貂之念，決意以《清語摘抄》試筆，而有今之《新編清語摘抄》問世。

　　清光緒十五年京都隆福寺東口內路南聚珍堂刊梓之《清語摘抄》分四冊。一、衙署名目，依鎮額撰，凡九類：部院、旗分佐領、倉庫、京城門禁城門、宮殿、壇廟、關隘、州縣。二、官銜名目，哈豐阿撰，凡十有二類：年號、誕辰、忌辰、君、封銜、封贈、外省文職、外省武職、京城文職、京城武職、內府官弁、閑散。三、公文成語，哲克東額撰。四、摺奏成語，阿昌阿撰。此書均按類而編，涇渭分明，實是滿文翻譯之良師益友，只是在滿譯漢文時略有查找不便，且小有疏漏。

　　《新編清語摘抄》較之《清語摘抄》有較大改易。形式上雖仍承襲原書之體例，但按滿文十二字頭為序排列，如此便於查索一目了然。內容上增補了諸如《清文總匯》等辭書內有之而《清

語摘抄》未撰之條目，也增補了從滿文檔案中收集到的條目。如此，雖未脫離原書之窠臼，但較之原書更為清晰、豐滿。

《新編清語摘抄》實係嘗試而為之，由我和瀋陽故宮博物院的王佩環率先議定並起筆，繼之邀我們的同窗現在遼寧省檔案館的沈微、遼寧省社會科學院的關嘉祿加盟，最後由我總成。是時因我歸伍未久學業頗為生疏，加之倉促為之，故而秕漏舛錯勢在必然，咎歸於我，敬請同道斧正，幸甚。

承蒙臺灣故宮博物院莊吉發先生及文史哲出版社鼎力相助，付梓在即，謹表謝忱。

遼寧省民族研究所　**關克笑**

1991年8月於瀋陽

新編清語摘抄

目　　錄

自　　　序 …………………………………………… 1

一、衙署名目 …………………………………………… 1

二、官銜名目 ………………………………………… 77

三、公文成語 …………………………………………121

四、摺奏成語 …………………………………………223

索　　　引 …………………………………………265

新編清語摘鈔

	天命	天聰	崇德	順治	康熙	雍正	乾隆	嘉慶	道光	咸豐	同治	光緒	宣統
年號	天命	天聰	崇德	順治	康熙	雍正	乾隆	嘉慶	道光	咸豐	同治	光緒	宣統
諱	努爾哈素	皇太極	皇太極	福臨	玄燁	胤禛	弘曆	顒琰	旻寧	奕詝	載淳	載湉	溥儀
年限	1616-1626	1627-1635	1636-1643	1644-1661	1662-1722	1723-1735	1736-1795	1796-1820	1821-1850	1851-1861	1862-1874	1875-1908	1909-1911
春秋	11	9	8	18	61	13	60	25	30	11	13	34	3
元年	丙辰 1616	丁卯 1627	丙子 1636	甲申 1644	壬寅 1662	癸卯 1723	丙辰 1736	丙辰 1796	辛巳 1821	辛亥 1851	壬戌 1862	乙亥 1875	乙酉 1909
諡號	太祖高皇帝	太宗文皇帝		世祖章皇帝	聖祖仁皇帝	世宗憲皇帝	高宗純皇帝	仁宗睿皇帝	宣宗成皇帝	文宗顯皇帝	穆宗毅皇帝	德宗景皇帝	
誕辰	1559	1592 十月二十日		1638 正月三十日	1654 三月十八日	1678 十月三十日	1711 八月十三日	1760 十月初六日	1782 八月初十	1831 六月初九日	1856 三月二十三日	1871	1906
忌辰	1626 八月十一日	1643 八月初九日		1661 正月初七日	1722 十一月十三日	1735 八月二十三日	1799 正月初三日	1820 七月二十五日	1850 正月十四日	1861 七月十七日	1874 十二月初五丑	1908	
陵寢	福陵		昭陵	孝陵	景陵	泰陵	裕陵	昌陵	慕陵	定陵	惠陵	崇陵	

衙署名目

ᠶᠠᠮᠤᠨ
ᠪᠣᠯᠵᠣᠣ

一九七九年十月

北城察院

金字經館

猜期房

北漕科

票簽處

後所

北廳

勘合科

土官科

供給所

都書科

會同四譯館

督催所

對讀所

太僕寺

副本科

會計司

值年旗

北城兵馬司

衙門

ᠮᡠᡣᡪᡝᠨ

奉天府

天文科

欽天監 安徽清吏司

素局

彝偏堂 神廚

殿齒 屯田清吏司

革局 官學

賓館 賓客清吏司

奉天清吏司

主客清吏司

4

點心局

慎行司 內務府

陰陽學　慶豐司

漏刻科　司書廳

時憲科　屬禮部掌頒憲書耤穄養蚕等處

時憲科　屬欽天監掌七政日月五星相距等處　素局

志書館　聖澤書院

都事廳　聖訓校勘處

下程科　繩愆廳 國子監

三旗織造庫　盛京包衣三旗承辦
織造事件處

右　鑾儀衛

三旗參領處

右　珩衛

三庫檔房

右　春坊府事

三通館

右　司

三礼館

新檔營

三法司

起居注衙門

三姓副都統衙門　屬吉林

牛馬稅務監督衙門

牛羊群牧處　康熙十六年併入掌儀司

管理三旗銀兩莊頭處

進呈科

6

俄羅斯文舘

熊科

俄卜嶺莒　　太醫院

　　　　　菊房

朝房　　　辨參局

稠距科 欽天監

民科　　草嚴盛京戶部

養狗處　俄羅斯學

御馬監　俄羅斯舘

7

養濟院　一統志館

遞運所

墻務廳

頭二司緣營用　分司　種總科誤

遞送科　兵部　總檔房

中伙處　總科

買辦處　光祿寺　提督九門步軍巡捕三營統領衙門

督捕清吏司　提督九門巡捕五營統領衙門

農田司　戶部

觀星台

總管衙門

8

蒙本房 部旗

如意館

店房

内閣漢本堂

漢檔房

稽察宗人府事務衙门

宗人府

漢科房

宗学

尼山書院

都察院

九门提督

會典館

彌封所

督催所 內務府

掌關防衙門

鎮

司經局

馴象房

馴馬司

経咒館

緑旗

良醞署 司光祿

酒局

酒醋房 府財務

寧古塔副都統衙門

佐領聚齊會商公所去處

興屬清吏司 理藩院

左司

建言科

朝儀科

朝參科

中書科

錄勳清吏司 理藩院

官字号

簡亭

前鋒營

前鋒統領衙門

前鋒營

吏房

馮科

吏科

虎鎗曹

吏部

儀制清吏司　禮部

河南道

辦剏處 內務府　　監造花樣處 內務府

湯鑠署　　　　柔遠清吏司 理藩院

稻廠　　　　　御船處

玉牒館

左春坊

左所　　御鳥鎗處

湖廣清吏司 户刑部

湖廣道

夫匠科 工部

都纸科 户部

都纸儲門

猶益廳

僧錄司 禮

僧道科 禮部

菜科

牟

番子司 盛京 將軍

管理威遠堡等六邊事務衙門

管轄番役處 内務府

河南清吏司

批迴科　　　刑司

糾參科　　　刑房

經歷司　　　總辦秋審處

奏事處　　　刑科

掛號房

案房　　　　備弓處

護軍營　　　佐都訊副都統衙門

巴延戎搭營

牽牲堂　　　牧掌所

興圖房　　　牧發科

當月處

當月司

遞行書籍處

河工卑

河防科

河治所

河廳

素文房

儒學

文選清吏司

文諧科

文譜科

刊書作

省文房

修書處

文法坊

翰林院

月官房

月官處

15

総辦秋審處

方略館　　　　内刑部　順治較尚方院
　　　　　　　　　　　　戴順丁七年改
　　　　　　　　　　　　秋頓利詞

算學　　　　　内務府三旗護軍營

算科工部　　　内務府三旗驍騎營

支科工部　　　内務府總管衙門

宝泉局　　　　户房理事衙

宝源局　　　　户司盛京将軍

筆貼式科　　　户科
　　　　　　　户部

璫稿嚴

16

本房

本科理書院

火房

雜科 1部

善撰善

飯房

飯局

珍饈署光祿寺　　掌關防管理財管貯處用務府

内工部　順治間稱惜薪司、康熙十六年改稱營造司

阿敦衙門　康熙十六年改稱　上駟院

宣徽院　康熙十六年改稱會計司

孫捕衙門　順治年間稱尚膳監　康熙十六年改稱都虞司

黑龍江將軍衙門

山西清吏司

山西道

報房

膳錄所

求賢科

精膳清吏司 礼部

粘杆處

都虞司 內務府

打牲烏拉總管衙門

修書院

撰配作

光祿寺

待詔廳 翰林院

備畢處

ᠮᠠᠨᠵᡠ ᡥᡝᡵᡤᡝᠨ

马房　贡院　督学科　学政科 礼部　南苑　幼官学　寺丞厅 太常寺　健锐营衙门　料估所 工部　鉴兴司

销算房　注销科　织造府　苏拉处　斧鐵司　书锁科 工部　兴吏科 吏部　高丽馆

ᡥᡡᠸᠠᠩ ᠵᡳᠣᠸᠠᠨ ᡵᠠᠩ ᠴᡳᠩ ᠯᡳ ᠰ᠋ᡳ

ᡧᠠᠨ ᠰᡳ ᡩᠣᠣ 陝西道

ᡧᠠᠨ ᠰᡳ ᡴᠣ 陝西科吏部

五府科

ᡡᠸᡝᠨ ᠶᡠᠸᠠᠨ ᡤᡠᠸᠠᠨ 文頴館

黄册房

黄檔房 工部 泉人府.

黄旗甲

黄旗科 兵部

ᠰᠠᠨ ᡩᡠᠩ ᡴᠣ 山東科吏部

山東道

ᠰᠠᠨ ᡩᡠᠩ ᡩᠣᠣ 山東道

ᠰᠠᠨ ᡩᡠᠩ ᡴᠣ 山東甲吏部

ᠰᠠᠨ ᡩᡠᠩ ᠴᡳᠩ ᠯᡳ ᠰ᠋ᡳ 山東清吏司

白旗司

甘旗甲 兵部

陝西清吏司

陝西甲

20

行人司 礼部

坐台 安台

扇手司 鑾儀衛

博士廳 太常寺

廣業堂

循還處 戸部

学政衙門

循還房 工部

学院

書缺科

官学 学房

都吏科 兵工

大使廳

其吏科

司務廳

續文献通攷館

21

ᠮᠠᠨᠵᡠ ᠪᠢᡨᡥᡝ

Manchu (vertical)	Chinese
	壺室
	唐古特学
	堂總科
	堂火房
	堂礼房
	堂号房部
	堂本房
	堂印房
	堂房 户部
	廳房

Manchu (lower register)	Chinese
	興藉廳 内閣
	批験盐引所
	巡盐司
	大通橋監督衙門
	精撰营
	資政院
	通政使司
	留都 陪都

22

窑冶科

窑冶科算房

御刬房

開設科　吏部

雄節司

司柴科　提賞衙门

主簿知縣衙门

注銷處

檔案房

櫃科　工部

興簿廳　太常寺等

窑冶科值房　工部

總房

辦照處　國子監

主簿廳　太僕寺等

窑冶科案房

奏事府

鴻臚司

上虞備用處

東舖案房

精察欽奉上諭事件處

皇華驛

惜薪廠

貝司

東城兵馬司

東城察院

東廂

東司

尚書房

上駟院

東文場

御書處

總管御膳房茶房處

東科房

24

ᠯᡳ ᠴᡳ ᡤᡠᠸᠠᠨ 礼器館

ᠯᡳ ᠰ᠋ᡳ 礼司　盛京将軍

掌儀司

知印科

印信科

監印處户部

印管處

鈐印局

掌蓋司

修道堂

稽察刑務府御史衙門

道録司

道　御史査辦公事處

橋道科

礼部

礼儀科

礼科

礼房

內關防衙門

內堂房　吏部

內倉監督衙門

內鑷房

內翻書房

上林苑監

鑾儀衛

鑾儀司

內膳房

奉宸苑

四譯館

外官科

外辦科　工部

掌醢署

內閣

皇城

內堂

總管內務府

內玫科

26

春坊

護軍統領衙門

貼黃科 吏部

火器營衙門

火器營

監造火藥局

外玫科

外饌房

外膳房

外堂房

方澤壇祀祭署

中城

中城察院

中所

中城兵馬司

回夷科 禮部

督捕衙門

大通橋衙門

鼓廳衙門

銀庫大使廳

銀庫平科

神机营

滿洲氏旗通譜館

滿檔房

滿洲蒙古翻譯房

滿本堂內閣

藍旗司

藍旗甲兵部

序學務

技勇營

致功清吏司

和聲署

養心殿造辦處

木倉科 1 部

蒙古堂

馬館兵部

馬政科兵部

車駕清吏司

28

盛京三院掌關防衙門　井田科

茶房

茶科礼部

茶马司

盛京礼部　　總管各場衙门

盛京兵部　　倉科户部

盛京户部　　経會司 錢糧司

盛京刑部　　金科 户部

盛京州府　　錢糧房

水利廳　　　錢糧衙门

都水清吏司户部

龍门

軍務科

兵司

武選清吏司

演武廳

兵科

編軍科

兵部

蒙古音律處

宣課司

膳食房

武庫清吏司

軍需局

軍器科案房

將校科

武諧科

軍器科算房部工

軍器科值房部工

兵房

八旗現審處　八旗科　船務　旗籍清吏司

八旗通志館

兵馬司　軍机處　清軍廳

浙江清吏司　浙江道

監糧廳　管糧科 兵部　糧廳　糧餉司 戶部盛京　坐糧廳街門　糧科　錢法堂戶部

右軍

31

街道廳　……十八房

弓矢司

織造科工部

織染局

織造府

正本科

稿房

錢局

南城察院

南城兵馬司

南書房

荊所

南漕科

南廳

東作廠大使衙門外有西南北三廠

作廠大使衙門　錢局大使辦事衙門之總稱

嚮導處　京畿道

圖房

大官署光祿寺

腳力科兵部

承發科　准支科　此營司

淶潤書院　興京城

中江稅務監督衙門　碉樓苗人所住之石室

中正殿念經處　養心殿造辦處

雲南清吏司　賞賜科

虞衡清吏司　都水清吏司　工部　京城

雲南道

33

啟疏科

旨意科通政司 驛站監督衙門

議政處 養鷹處

清茶房 稽察房

教習煮常饍 查核房

職方清吏司 稽察所

戈戦司 做書作

都城 肅紀左司

崇城 樓流所

京官科 刻字作

34

教場

旗手衛 鑾儀衛

江南江西甲兵部

江南清吏司

江南道

成安宮官學

架閣科 兵部

江西道

江西清吏司

江南甲吏部

侍衛處

江蘇清吏司

侍衛飯房

江西道

領侍衛閣大臣處

館所 兵部

覺羅學

提牢廳

驛傳科 兵部

幡幢司 鑾儀衛

ᠭᠤᠸᠠᠩ ᡩᡠᠩ ᡤᠤᠸᠠᠩ ᠰᡳ ᡥᠠᠴᡳᠨ ‍ᠪᡝ ᠠᠯᡳᠮᡝ ᠵᠠᠨᠴᡳ ‍ᠪᠠ

廣東廣西甲吏部

ᠭᠤᠸᠠᠩ ᠰᡳ ᠴᡳ ᠴᠠᠨ ᠨ ᡤᡳ

廣西道

ᠭᠤᠸᠠᠩ ᠰᡳ ᡥᠠᠴᡳᠨ ‍ᠪᡝ ᠠᠯᡳᠮᡝ ᠵᠠᠨᠴᡳ ‍ᠪᠠ

廣西清吏司

ᡤᡠᡳ ᠴᠧᠣ ᠴᡳ ᠴᠠᠨ ᠨ ᡤᡳ

貴州道

ᡤᡠᡳ ᠴᠧᠣ ᡥᠠᠴᡳᠨ ‍ᠪᡝ ᠠᠯᡳᠮᡝ ᠵᠠᠨᠴᡳ ‍ᠪᠠ

貴州清吏司

ᡤᡠᡵᡠᠨ ‍ᡳ ᠰᡠᡩᡠᡵᡳ ‍ᡳ ᠶᠠᠮᡠᠨ

國史館

ᡤᡠᡵᡠᠨ ‍ᡳ ᠵᡠᠰᡝ ᠪᡝ ᠠᠩᡤᠠ ‍ᠪᠠ

國子監

ᡥᠠᠨ ‍ᡳ ᠰᡠᡩᡠᡵᡳ ᠮᡠᡨᡝᠨ

皇史宬

ᡨᠠᡳ ᡧᡳᠣ

太学

ᡴᡠᠮᡠᠨ ‍ᡳ ᠪᠠ

樂部

ᡩᡝᠨᡤᡝ ‍ᡳ ᠶᠠᠮᡠᠨ

所

ᠪᠠ

署

ᡩᠠᠰᠠᠨ ‍ᡳ ᠶᡠᡵᡠ

鑾儀衛

ᠪᠠᠨ ‍ᡳ ᠪᠠᠴᡳ

班劍司鑾儀

ᡴᠣᠣᠯᡳ ᠪᠠᡳᠴᠠᡵᠠ ᡥᠠᠴᡳᠨ ‍ᠪᡝ ᠠᠯᡳᠮᡝ ᠵᠠᠨᠴᡳ ‍ᠪᠠ

律例館刑部

ᡤᡠᠩ ᡝᡵᡩᡝᠮᡠ ‍ᡳ ᡥᠠᠴᡳᠨ ‍ᠪᡝ ᠠᠯᡳᠮᡝ ᠵᠠᠨᠴᡳ ‍ᠪᠠ

稽勳清吏司

ᡤᡠᠩ ᠪᡝ ‍ᡳ ᠶᠠᠮᡠᠨ

功臣館

ᡤᡠᠸᠠᠩ ᡩᡠᠩ ᠴᡳ ᠴᠠᠨ ᠨ ᡤᡳ

廣東道

ᡤᡠᠸᠠᠩ ᡩᡠᠩ ᡥᠠᠴᡳᠨ ‍ᠪᡝ ᠠᠯᡳᠮᡝ ᠵᠠᠨᠴᡳ ‍ᠪᠠ

廣東清吏司

奉天清吏司

諸勅科 吏部

育嬰堂

俸糧科

紅旗甲

俸餉處

紅旗司

稽俸廳

篆字館

封筒科

關津科

磚木科

關引科

陳穢營

中書科

匠科 工部

駮對清吏司

武備院

諸對房川閣

37

西城兵馬司

奉祀礼部泰西陵

前廂

西相案房

前廂

西司

西科

西房科

西文場

西城察院

西城

奏祀礼部

繁祀科

奏章科

啓奏科

題本房吏部

批本處

本房

奏章科

王府科 礼部

西城同文志館

工房　理藩院

造辦處

總理工程處

工部

司獄廳

陞調科吏部

營造司

奉祀礼部

做房

犧牲所

工科

神樂署

營繕清吏司

祠祭署

祠祭清吏司

太常寺

材料房

營造科　工部

黍器科

工司

ᢙᠣ ᡝᢍᡳ᠂ ᡝᡳᠯᡝ ᡳᠯᡝ᠂ 直隸淸吏司

ᡝᢥᡝ᠂ ᡳᠯᡝ ᡳᡝᡝᡝ᠂ ᡳᡝ ᡳᡝᡝᡝ ᢙᡝ ᡳᡝᡝᡝ ᢙᠣ 墨尔根副都统衙门

ᢙᡝ᠂ ᢥᡝ ᢥ ᢥᡝᡝ ᢥ ᢙᡝᡝ᠂ 管莊房

ᡝᡝᡝᡝ᠂ ᡝᡝᡝᡝ᠂ ᡝᡝᡝᡝ᠂ ᡝᡝᡝᡝ᠂ 理事廳

ᡝᡝᡝᡝ᠂ ᡝᡝᡝᡝ᠂ ᡝᡝᡝᡝ᠂ ᡝᡝᡝᡝ᠂ 理刑科

回子佐領　輪管佐領

管領

哈密回子一族

緑旗

漢軍都統

烏梁海十一旗

俄羅斯佐領

新投誠準噶爾十六族

阿拉善山厄魯特一族

旗分佐領類

五甲喇

四甲喇

左翼　東回旗

公中佐領

高麗佐領

内府佐領

内務府三旗

41

右翼　西四旗

世管佐領

扎哈沁一旗

喀爾喀等部八十六旗舊五十七旗

旗鼓佐領

勳舊佐領

蒙古七甲喇

蒙古六甲喇

分管

蒙古都統

頭甲喇

歸化城土默特二旗

青海三十旗及厄魯特等部

滿洲都統

三甲喇

王貝勒佐領

二甲喇

二甲喇

大清倉

大盈倉 漷廣裏陽

太平倉 朝陽門外

大軍倉
大盈倉

金銀等項庫

官房租庫

鹽倉

北鞍庫

北新倉 京城

倉庫名

廣積倉

巨盈庫

廣積庫

廣儲倉

如京倉

廣豐倉

廣盈倉

廣備庫

43

永济库 東陵

永济库 各處備急用

永丰倉 三姓·山西 陝甘·廣東

恒積倉 黑龍江

丰贍庫

丰盈倉

裕丰倉 京便門

富新倉 京城

丰盈倉

丰益倉

衣庫

官三倉 内務府

新倉 盛京 户部

神庫

永敬倉

永盈庫 江蘇

永安倉 廣東

永積倉

永宁倉 吉林

永阜倉 山東 青州

益昌庫 山東

恒裕庫 直隸

湘面倉

常盈庫 山西 安徽 太僕寺

甲字庫

常平倉

甲庫

小庫房

府庫

照賞宗室銀兩庫

通積倉 黃尔根

通濟倉 戶部 盛京

社倉

顏料紙張庫

乾閞庫

ᠪᠣᡳᠵᡝ ᠨᠠᠮᡠᠨ 頒料庫　　　萬安倉

通濟庫　　鹽庫　興平倉　本裕倉青河

受絪倉

消用庫　濟用庫　段疋皮張等項庫

供用庫　段疋庫

宮倉　車庫

46

外駕庫　茶庫

火葯庫

通倉　　木倉

通州中倉　海運倉

鑾駕庫　　銀庫

職□副庫刑部　銀億庫

內庫　　簾子庫

內倉　　將盈庫

內倉　　儲濟倉

將盈庫　常平倉

家伙倉

47

ᠮᠠᠨᠵᡠ 南新倉

南鞍庫

漕谷倉

義倉 吉林

毡庫

變庫

盈寧庫

軍需庫 工部

册庫 戶部

南舘倉

節慎庫

恩豐倉

恩賞銀庫

祿米倉

廣恩庫 泰陵

磁庫

製造庫

西十庫 戸部

滋生庫

夾羊倉 山東

舊太倉 京城

廩給銀庫

49

ᠮᠠᠨᠵᡠ ᡥᡝᡵᡤᡝᠨ

皇極门

太和门

大市街

天安门

天佑门

礦陽辺门

後右门

後左门

祈年门

平則门
阜成门

景行门

安定门

德勝门

沙提门
德滙门

永定门

沙窩门
廣渠门

廣寧门
彰儀门

大成门

各門名

地安門

錫慶門

協和門

廣亨街

熙和門

闕右門

右安門

景德街

光恒街

長安街

福勝門

歡禧門

角門

順城門
宣武門

懷遠門

慈寧門

左安門

闕左門

撫近門

地載門

51

東安门

東華门

東便门

東閤门

東长安门

大清门

洋橋

朝陽门

崇文门

隆恩门

甲左门

内治門

德勝門

正陽門

西直門

東直门

端门

正陽橋

貞度门

左翼門

启運門

履順門

磚劵門

昭德門

麗正門

景運街

午門

慈祥門

中右門

櫺星門

西長安門

西闕門

左翼門

前便門

西安門

西華門

	漢語
	皇極殿
	慈航普渡
	壽皇殿
	太和殿
	景佑宮
	介祉宮
	皇乾殿
	斬華殿

	漢語
	權衡三界
	三希堂
	敬一亭
	日華樓
	安佑宮
	寧壽宮
	神御殿
	保和殿
	永福宮
	宮殿名

敬典閣　　　凝禧殿

避暑山莊　　衍庆宫

法輪殿　　　振武（箭楼）

奉先殿　　　角楼

皇祇室殿名　武英殿恃書處

慶成宮　　　武英殿

大方廣殿　　明遠樓

避光殿　　　体仁閣

聚奎堂　　　本仁殿

　　　　　　慈寧宮

樂善堂　太歲殿

正善堂　行宮

師善齋　就日牌樓

寶相閣　文華殿

霞綺樓　文源閣

崇樓閣　暑影堂

隆恩殿　文津閣

雍和宮　文淵閣

關雎宮　文瀾閣

頤和殿　墨妙軒

56

瞻雲樓	紫光閣
修道堂	閱武樓
翔鳳閣	武功坊
飛龍閣	繼思齋
御書樓	紫心堂
東閣	誠心堂
保極宮	養心殿
至公堂	傳心殿
麟趾宮	協中齋
堂子祠神處	中和殿

57

崇政殿

啟運殿

會乘殿

主敬殿

清寧宮

集義殿

正義堂

弘義閣

壽康宮

皇帝宇

58

壇廟名

永定河神廟

永安寺

長寧寺

廣寧寺

天神壇

天壇

羅漢堂

北鎮廟

祈雨壇

地祇壇

永光寺

幽宗熒星之處

順左渾河神廟

顯佑宮廟名

賢王祠

聖澤書院

紫聖祠

崇聖祠

59

安遠廟

普仁寺

弘仁寺

仁壽寺

先醫廟

先蠶壇

先農壇

先師孔子廟

地藏寺

地壇

溥善寺

禪院

禪堂

禪房

普院宗乘之廟

社稷壇

夕月壇

旌勇祠

闡福寺

60

ᠮᠠᠨᠵᡠ text 火神廟

ᠮᠠᠨᠵᡠ text 延壽寺

ᠮᠠᠨᠵᡠ text 裦忠祠

ᠮᠠᠨᠵᡠ text 歷代帝王廟

ᠮᠠᠨᠵᡠ text 昭忠祠

ᠮᠠᠨᠵᡠ text 圓丘

ᠮᠠᠨᠵᡠ text 東嶽廟

ᠮᠠᠨᠵᡠ text 圓丘壇祠祭署

ᠮᠠᠨᠵᡠ text 原廟

ᠮᠠᠨᠵᡠ text 龍神祠

ᠮᠠᠨᠵᡠ text 太平寺

ᠮᠠᠨᠵᡠ text 賢良祠

ᠮᠠᠨᠵᡠ text 太廟

ᠮᠠᠨᠵᡠ text 殊像寺

崇源協佑河神廟 太歲壇

宗廟

朝日壇

嘛哈噶喇廟

萬壽寺

61

ᠪᠣᠣ ᡥᡡᠸᠠᠰᠢ 普渡寺

ᠪᠣᠣ ᠯᡝ ᠰᡟ 普樂寺

ᠪᠣᠣ ᠨᡳᠩ ᠰᡟ 普寧寺

ᠪᠣᠣ ᠶᠣᠣ ᠰᡟ 普佑寺

ᠸᡝᠨ ᠮᡳᠶᠣᠣ 文廟

ᠪᠣᠣ ᠰᡝᠩ ᠰᡟ 都城隍廟

ᠰᡟᠩ ᠪᠠ ᡥᠣᠣ 實勝寺

ᠰᡳᠶᠠᠩ ᡥᠣ ᡩᡳ 香火地

ᠰᡟ ᡨᠠᠩ 祠堂

ᠴᡳ ᡤᡠ ᡨᠠᠨ 祈穀壇

ᡤᠸᠠᠩ ᡮᡟ ᠰᡟ 廣慈寺

ᡦᡠᠰᠠ ᡩᡳᠩ 菩薩頂廟者

ᡶᠠ ᠯᡠᠨ ᠰᡟ 法輪寺

ᠶᠠᠨ ᡥᠣᠣ ᡥᠣ ᠰᡝᠨ ᠮᡳᠶᠣᠣ 演灰河神廟

62

廣寧縣　　伊逼赫尔蘇 吉林

景山　　張家口

阿勒楚喀 吉林　　三姓 吉林

圍關　　牛莊 盛京

天柱山福陵　　雅州 盛京

阿布達里岡 興京南　　永定河

金州一寧海　　承德縣

愛琿城 黑龍江　　襪勒敏喀勒敏山

襖陽边门　　承德府

關隘名

63

清河城　興京西

開城—巨流河　　土城　　綏遠城

哈尔薩河

哈尔薩山　興京

喜峯口

九關台边門　盛京

望祭山　吉林

烏拉城

獨石口

浴盆山

嫩江　黑龍江

鄂多里城　長白山東

清河関東河名，其有数條

64

混同江

呼蘭城 黑龍江

積慶山 遼陽

回靼班 西潘界北

長白山

威遠堡 盛京

長城

寧遠州

平頂山 盛京海城

潘桃口

潘家口

打牲烏拉城 吉林

布爾圖庫邊 吉林

布爾噶圖城 吉林

月牙城

伯都訥 吉林

巴延鄂佛囉邊

65

繡嶺　盛京海城

岫岩州

岫岩城

三岔口　盛京

三㳄河

嘉峪关

黑龍江

昌吉縣

哥尔海城

黑龍潭　京西北

山海關　山海關北

松花江

蘇子河

蘇克素護河　興京

白馬關

蘇巴尔罕　吉林

小凌河站

藩河

石門嶺　蓋平

66

唐望山 ᠮᠠᠨᠵᡠ ᠠᠯᡳᠨ 平頂山之別名　　蓋平縣　ᠮᠠᠨᠵᡠ

（滿文字頭，右起各欄漢字注記）

右欄上：蓋平縣
　　　　唐望山　平頂山之別名
　　　　殺虎口
　　　　紫荊關
　　　　泉山
　　　　甘龍潭
　　　　甘平山
　　　　尚間崖　開原東南
　　　　甘长，长白山
　　　　沙濟　興京西南

右欄下：興隆嶺
　　　　東京　遼陽東北
　　　　大凌河城
　　　　達呼尔　黑龍江
　　　　殺來縣
　　　　復州
　　　　太子河
　　　　太蘭山
　　　　鐵嶺

67

満洲文字	漢字	満洲文字	漢字
	熊岳城		寧海縣 即金州
	方澤 地壇内		海城縣 奉天
	東順山		烏蘭峪
	国倫城		烏蘭口
	土门江		遼河
	窪関		溜馬汀
	隆業山 昭陵之山		遼陽卅
	桃林口		立吉雅河 興京東南
			立發河 北興京囬

68

羅文峪喜峰口右　　巨流河

錦縣

木查河　　錦州府

沈陽　　錦州

盛京　　南雙山盛京海城

龍門壩　　義州盛京

龍井關　　品級山太和殿前

龍泉關　　彰武台盛京边名

古北口　　扎哈蘇城黑龍江

墨尔根黑龍江　　界藩城興京

湄沱河盛京

満洲語のテキスト（縦書き・満洲文字）と漢字注記

蘇哲費雅喀　吉林

黑爾蘇　長白山西北河名

輝山　盛京

開原法庫邊門

開原縣　奉天府

興京邊門一汪清門

蘇圖阿拉

興京城

英額邊門

巨流河站

降龍山盛京海城縣

吉雅拉摩河

吉雅拉摩山

車駕山

吉雅喀河興京東南

吉林崖盛京界

吉林

覺羅莊

巇巌邊門

ᠮᠠᠨᠵᡠ ᠪᡳᡨᡥᡝ

富桑　興京地名

札噶關

富尔丹城　吉林

音青喀尔

惡寧城　伊犁

尼布楚城　黑龍江

斐芬山　盛京

阜康縣

奇台縣

迪化府

渾河　盛京

迪化縣

梁水河　盛京

西洋國謂之西海　中

歸化城

鎮西府

昆明湖

啓運山

清海

71

陵類

昭西陵内閣防衙門　慕陵

三陵總理事務衙門

昭西陵

昭陵　内務府總管衙門　泰陵工部

永陵　泰陵

景陵總管衙門　泰陵礼部

景陵内閣防衙門　泰陵總管衙門

景陵内務府總管衙門　泰陵　泰東陵

景陵礼部　昭西陵礼部　泰陵

景陵

西陵内務府總管衙門

昌西陵

西陵工部

昌陵

裕陵

定東陵

慕陵

定陵

東陵礼部

東陵承辦事務衙門

東陵内務府總管衙門

東陵関防衙門

東陵工部

孝東陵

福陵

孝陵内関防衙門

孝陵内務府總管衙門

孝陵總管衙門

孝陵礼部

慕東陵

孝陵

73

ᠮᠠᠨᠴᠤ (Manchu script columns)

鄂漠和索洛　哈達城

三姓　寧古塔

便犬果落　訥殷

額蘇車備　武古臣

西梵國　烏拉城

安達爾奇愛滿　烏蘇里

安楚拉庫　武緩

安圖瓜爾佳　厄魯特

阿奇蘭　鄂勒渾城

各部落類

界蕃山　索偏

札庫木　薩爾滸山

烏爾敦　薩哈爾察

東佳　　薩哈連愛愛滿

拉林　　巴爾虎

樣鄂　　呼爾哈

托謨和　輝發城

達呼爾　周納噶庫偏

蘇克素護愛滿　庫雅拉

科爾沁

75

ᠪᠠᠷᠭᠠ

西藏唐古特蒙古　窩集愛滿

固勒

興堪

嘉穆瀚　汪嘉

葉赫城　佛多和

雅爾呼　斐犵

兆嘉　佛訥和

哲陳愛滿　琿春

章佳　呼葉

章　呼備貝爾

占　渾河愛滿

76

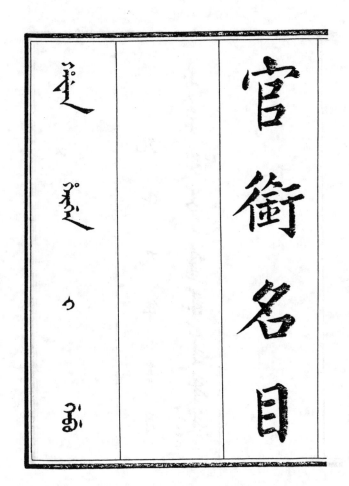

官衙名目

一九七九年十月 ᠠ᠋ᠵᠠᠷᠠᠨ ᠲᠣᠪᠴᠢᠯᠠᠨ ᠨᠠᠢᠷᠠᠭᠤᠯᠤᠪᠠ

領閣事　　　　　　　　　侍講

獲擧閣事　　　　　　　　侍講學士

直閣事　　　　　　　　　侍讀

緗子甲　　　　　　　　　侍讀學士

緗戶　　　　　　　　　　副掌關防官

領班筆貼式　　　　　　　籤便道

後護侍衛　　　　　　　　副撈

司鑰長　　　　　　　　　宗人府侍郎

挨貢　　　　　　　　　　陪臣

官銜名目

79

ᠮᠠᠨᠵᡠ ᡳ ᠠᠮᠪᠠᠨ 右庵大臣　宰相　中堂　大学士

ᠠᡩᡠᠨ ᠪᡝ 牧长　马兵　大祝　大胥

ᠠᡩᡠᠨ ᠪᡝ 上驷院侍衛　正玫官

ᠠᡩᡠᠨ ᠪᡝ 上驷院卿　通政使

ᠠᡩᡠᠨ ᠪᡝ 看馬人　左都御史

ᠠᡩᡠᠨ ᠪᡝ 牧童　宗令

ᠠᡩᡠᠨ ᠪᡝ 牧丁　学正

ᠠᡩᡠᠨ ᠪᡝ 轻車都尉　祭酒

ᠠᡩᡠᠨ ᠪᡝ 副玫官　正卿

ᠠᡩᡠᠨ ᠪᡝ 参将

80

ᠰᡳ ᠬᡠᠢ 司會

ᡨᡠᠩ ᡦᠠᠨ 通判

皇子

官役

裕儒

官學生

協律郎

驍騎副參領

卿

尚書

尚膳副

副司庫

委署主事

外委

承直人

承直掌

纂修官

供給官

對讀官

編修

捐貢

捐監

員外郎

翻力筆貼式

參議

副使道

轎夫

委護軍參領

委散秩大臣

尚茶副

助教

土司

副將

副總裁官

協修官

參政道

參議道

副將

協辦大学士

起居注官

三教

三等侍衛

同孜官

匹夫

異端

使臣

聖主

衍聖公

門子

謝恩

發員

創子手

才士

司晨

陰陽生

司書

知事

主子

主事

副使

通政副使

司業

少卿

訓導

撫民同知

郎中

吏目

五品宜人

順孫

副指揮

苑副

尚柴副員

副內管領

副護軍參領

祀丞

至義

演法

覽義

闡教

宗學副管

二品夫人

教尔布　　歌童

医生　　總兵

太医院院判

太医院院使　　司庫

缺主　　庫便

打牲人　　提墙

候缺筆貼式　　監候

　　　　　　佃户

天文生　　農夫

獵美人　　翻譯官

　　　　　　逃人

85

九流

九卿

一品夫人

首輔大臣

頭等侍衛

總管

總督

都事

掌衛事大臣

苑承　總管

彌封官

庫掌

庫守

庫丁

屠戶

獸醫

披甲

宗室

皂吏

偶人

人瑞　主保

佐領

牛彔章京　監臨官

漁翁　主管

綠旗漢兵　閘單

綠營官　增生

譯漢官　善士

短工　正一

遊僧　春正官

六品安人　善騎翁

現任筆貼式　人牙子

87

前鋒校

責俏人

前鋒習翼長　窩主

前鋒參領　被告

盟主　原告

伙伴　君

前站、嚮導　通事

翼長　通事官

前鋒統領　士

壯丁　左道

鄉賢　健將　先鋒

和碩親王 親軍校 御前侍衛 御前大臣 諸侯 虔婆

郡主

郡主儀賓

和碩公主 和碩額駙

和碩親王

親軍校

御前侍衛

御前大臣

諸侯

虔婆

宣武大夫 從四品

昭武大夫 正四品

武翼大夫 從三品

武義大夫 正三品

武功大夫 從二品

武顯大夫 正二品

振威大夫 從一品

建威大夫 正一品

誠守尉

親王福晉

89

都統

固山貝子

修武佐郎 從八品

修武郎 正八品

奮武佐郎 從七品

奮武郎 正七品

武信佐郎 從六品

武信郎 正六品

武略郎 從五品

武德郎 正五品

賓礼郎

買賣人

経紀

賊盜

僧

奸細

志士

縣君儀賓

縣君

協領

豪傑

敵寇

皇太子

皇貴妃

皇后

皇帝

皇太后

養育兵

僧官

番役 補快

事主

孔目

按察使

穡枝

監察御史

經歷

供事官

覆調官

護軍參領

護軍

91

總隊

把總

攔頭

收掌官

都騎尉

稻書阿

知事

經歷

都事

貝勒

審事官 斷事官

貝子

貝子福晉

纂修官

先生 儒者

伯

沙彌

修撰

儒

筆貼式　文官　文臣

蠶官役　河道總督

供奉官　禰排　司儀長　郡君　貝勒福晉

領催

催長　催總

文秀才　文生員

元老大臣之　秣啦

翰林　都督僉書　都司僉書

千里馬　祝讀官　書生　文人

93

內管領 清正道士 飯上人

頂馬 總管內務府大臣

狀元 會元 解元 案首

秋官正

媵

書寫

小京官

雜職

獵戶

虞人

印卷官

牧卷官

待詔

密切監

師傅　先生

車夫

車戶

鐵匠

謄錄官

賀喜

傘上人

傘上頭目

端公

巫人

甲保人

干証　甲間人

公甲佐領

未比上壯丁之人

幼丁

寡人

俗子

傳宣

俊秀

探子

95

ᠮᠠᠨᠵᡠ 　知貢舉

殿試官 　少保

　少傅

貢生 　少師

內務府管領下食口糧人 　選士

纏手　回扁子 　貢士

續辦事章京 　隱士

宗正 　隱者

次鄉 　隱者

監承 　暗兵

　撥貢

世襲官 　童生

96

孳子

搜撥官

搜撥大臣

織造

屠士

散騎郎

閑散人

房婦

開散內大臣
散秩大臣

大興

差差　承差

大使

水手

書辦　書吏

頓祿

書生　秀才　生員

世子

侍監

五官正

玉代奴撥家人

97

博士

提督学政

教习　学官

学习赞礼郎

学习读祝官

赞长

听用长随

司务

供用官

伴当

太子太保

太子太傅

太子太师

太保

太傅

太师

司煌

监生

坐办堂郎中

教习

98

擄人 七八九口□

獘眼

都司

答应

百户

武備院卿

太監

太子少保

太子少傅

太子少師

京婦

掌稿筆貼式

首領

首領官

方伯

遊擊

布政使

跟子

舍人

長隨

（ᠮᠠᠨᠵᡠ）盐茶道　土著

隨征　鄉紳　土兵鄉勇

左單　舉貢　鹽大使

興簿　主簿　擢舉　還副

興籍　懷敦大臣　還判

征夫　還同

長工　鹽運便

宗子　適長子　鹽政

100

詹事府詹事

探花

皇上

職管佐領

車夫

守訊兵

牽駝人

陶人

司罍酒

坐地虎

進士

忠臣

守堡

莊頭

棋士

主府佐領

學錄

分纂官

詹事府少詹事

101

通奉大夫 從二品

資政大夫 正二品

榮祿大夫 從一品

光祿大夫 正一品

郡君儀賓

縣主儀賓

縣主

郡主

郡王福晉

多羅貝勒宗室第三等

郡王宗室第二等

道士

道官

道士

御醫

內簾監視官

中書

內大臣

知印

中議大夫 從三品

通議大夫 正三品

修職郎 正八品

徵仕郎 從七品

文林郎 正七品

儒林郎 從六品

承德郎 正六品

奉直大夫 從五品

奉政大夫 正五品

朝議大夫 從四品

中憲大夫 正四品

菜上人

失主

催工

催夫

收生婆

舉人

外籤醫誠官

优貢

原任筆貼式

登仕郎 從九品

登仕佐郎 正九品

修職佐郎 從八品

坤宮正

校对官

守備

守更尉

守更

監修總裁官

監督

防範

城守兵

雲騎尉

監工

監門官

城門尉

善鵲尉

護軍統領

客商

數子

冬官正

執守侍

數子

104

領隊大臣　帳房頭目

送信人　蒙古都統

舞女　喜起舞大臣　馬快　小兵

滿洲都統　千戶

蘭翎長　蘭翎　千總　花戶

番僧　喇嘛僧　三品淑人

評事　傳臚　牧副

防守尉　副都統

ᠮᠠᠨᠵᡠ 監妃

ᡤᡳᠶᠠᠨ 供事

ᠮᠠᠨᠵᡠ 管壇火臣

ᠮᠠᠨᠵᡠ 啓心郎

、 厨役

ᠮᠠᠨᠵᡠ 技單兵

ᠮᠠᠨᠵᡠ 樵夫

ᠮᠠᠨᠵᡠ 樹戶

ᠮᠠᠨᠵᡠ 木匠

ᠮᠠᠨᠵᡠ 司木

ᠮᠠᠨᠵᡠ 壯丁

ᠮᠠᠨᠵᡠ 相士

ᠮᠠᠨᠵᡠ 常在

ᠮᠠᠨᠵᡠ 腐儒

ᠮᠠᠨᠵᡠ 茶上人

ᠮᠠᠨᠵᡠ 尚茶正

ᠮᠠᠨᠵᡠ 倉長

ᠮᠠᠨᠵᡠ 倉場侍郎

ᠮᠠᠨᠵᡠ 倉塲總智

ᠮᠠᠨᠵᡠ 廪生

106

至靈

講經

參領　甲喇章京

世襲　職官

世管佐領

閱兵大臣　盟長

專操大臣

武士

武大臣

軍机大臣

兵備道

壽民

節婦

關口守衛

船埠頭

船署長

九分公

星士

107

知州

貞女

大小各官

右軍

章京

莊頭　屯頭

二等侍衛

奸雄

媒婆

步軍校

無品級司章

品級

州吏

興衛

僧正

道正

興科

学正

州判

州同

洗馬

街道廳

薑蒙古事侍衛

指揮

机戶

宗学總管

子爵

将軍

烈女

烈婦

督糧道

坐糧廳

漕運總督

巡漕御史

牌頭

護軍校

米顯達

夏官正

前引大臣

戲子

步兵

步兵馬

步兵先鋒額

步兵統領

步兵護軍尉

廟導

貧僧

庖掌

鹿丁

奉祀生

知觀

義夫

義士

水脚役

廟導大臣

園丁

園頭

園戶

走遞夫

步甲

議政大臣
參贊大臣
明君
庶吉士
名宦
撃壺正
恩騎尉 世襲七品
奉恩將軍第十四等
奉恩鎮國公第七等
奉恩輔國公第八等
巡邏官

乾清門侍衞
儒士
正字
爵銜
侯
火居道士
穩婆
御前刺勝將軍
欽差
欽派大臣

111

ᡝᡵᡤᡳ ᠪᠣᠱᠣ　鷹把式

ᡤᡳᠶᠠᠮᡠᠨ ᡳ ᠴᡝᠩ　驛丞

ᠮᠣᡵᡳᠨ ᡳ ᠪᠠᡳ᠌ᠽᡳ ᡤᡳᠶᠠᠮᡠᠨ ᡳ ᡩᡳᠩ　馬牌子 驛丁

ᡤᡳᠣᡵᠣ　覺羅

ᡩᡠᠯᡳᠮᠪᠠ　中兑

ᠪᠠᡳ᠌ᠴᠠᠮᠪᡳ ᠰᡳᠯᠮᡳᠨ　巡撫

ᡤᡳᠶᠠᠮᡠᠨ　巡徼

ᠵᡠᠨ ᡳ ᠱᡳ　俊士

ᡤᡳᠶᠠᠮᡠᠨ　巡捕

ᡥᡠᡳᠵᡝ ᠨᡳᠶᠠᠯᠮᠠ　回品番人

ᡤᡳ ᠱᡳ ᠵᡠᠩ　給事中

ᠵᠠᠰᠠᡴ ᡳ ᠪᠣᡳ᠌　提牢

ᠵᠠᡶᠠᠮᠪᡳ　緝拏

ᡤᡝᠩ ᡶᡠ　更夫

ᡤᡳᠶᠠᠮᡠᠨ ᠵᠠᠨ ᡳ ᠪᡝ　驛站官

ᠪᠠᡳ᠌ᠴᠠᠮᠪᡳ ᡤᡳᠰᡠᠷᡝᠮᠪᡳ　檢討

ᡝᡵᡤᡳ ᠪᠣᡳ᠌　鷹戶

ᡩᠠᡥᠠᠯᠠᠮᠪᡳ　隨侍

ᡤᡳᠶᠠᠮᡠᠨ ᠪᠠᡳ᠌ᠴᠠᡵᠠ ᡩᠣᠣ　驛巡道

典史

縣丞

知縣

冶人

侍衛什長

侍衛班領

領侍衛內大臣

爐頭

乞丏

妓女

牽馬人

孝婦

孝女

孝子

斗級

道會

僧會

訓術

縣總

訓科

教諭

大士 樂正

少師 小胥

樂師

太師 小樂正

署使長

署使

排長

樂舞生

司樂

跟役

固倫額駙 聊導

奉國將軍十三等

輔國將軍十二等

鎮國將軍十二等

輔國公 大等

鎮國公 宗室五等

滿洲秀才

侍候王貝勒之人

奉鑾鑾

興樂

公

貴妃　　　貴人

廣東右翼鎮總兵官　　廁丁

宮殿監督領侍

宮殿監督領事

宮殿監督副侍

宮殿監正侍　　廁副

宮殿監副侍　　廁長

宮宰　　功臣

國子監監丞　　鄉君

固備公主　　鄉君額駙

校尉

剝客

鑾儀尉

署丞

治儀正

署正

雲麾使

司匠

鑾儀使

方士

冠軍使

任俠之士

鞟門材官

序班

里老

鑾儀衛侍衛之總稱

尼僧

王府長史

查獸大臣

典儀

理問

更夫

雕刻匠

寺副

寺丞

提督

靈白郎

妃

中軍

作作

推官

正科

正術

都紀

都綱

教授

知府

治中

府丞

府尹

標夫

施主

創客

勳舊佐領

世臣

福晉

額外主事

廢監

恩貢

廢生

高士

石工

大宗

奉祀

護衛

王

更興

委吏

互匠

甍鞲校

経略

司獄

司空

理事同知

罪人

奏者

119

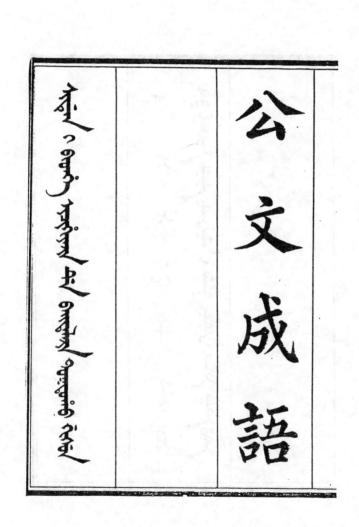

公文成語

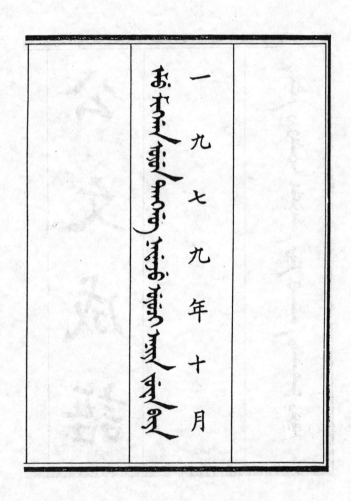

一九七九年十月

過新年

正月

元旦

祥宮

戍守兵

勝員

搋雅　推脫

假推　推脫

閏月

陽文合符

目獵　打圍

干戈　器械

亡故　沒有

無極

靜鞭

雨水　二十四節氣之一

祈雨　壓徵

年陳

年陳

經年　整年

陪祭

附衬

撤陪

副本

無甚異樣

立女

暴戾　嬌妒

隨圍

敖圍

總遣

経管

承辦

領狀

経徵

手本　筐笒

呈子

怎麼受得

鄰里鄉黨

北郊

落後

往返

會議

殷後　斷後

後尾

善後　事宜

回文

批迴

領運

啓奏號

搭放

搭運

會試

會演

會奏

會審

克協

回交

後代　後世

後蔡北斗七星

125

宜祭

歲暮

祫祭

彙解

合巹

符節

酌減

酌撥

斟酌

酌定

行李

槖駝

動用

啓奠 遷奠

奉安

奉移

立香

合同

和息

勘合

避開正路走

責任

越幅

剖付

交付

信息

漏開

為從

小銜

手摺

後剿

貼斷

貼防

協緝

協撥　協理　賢理

什麼事

一应物件

惜重

後兵　救兵

何處‧何項

協応　協運　協叚　幫貼銀　捐細銀　貼截銀　協解銀　協撥銀　糙米　謀殺

略責　略諭　略諳　緊要之處　看光景　容貌　形狀　形容　骨格　申濬　領白　甲等人家

守本分　守素

風俗舊例　常規　常

磨刀石

照常

無定規

常例規矩

平通甲等

歲修

歲攻

奏本

日齒

織日結秀

諸吃

日許

咀硬

日飄（松）

很好

結盟拜把子

腰站

風俗通

保題 保奏

寡婦

嘴刻薄 燥暴

问取口供

贡審

何有餘糧處就食度命

信日

糊口

寄日信

置喙

不足信

信實

貞符

信票

信幡

信牌 聖旨龍牌

保修

保守

保舉

保送

天討

天涯

冊

冊員

冊封

冊詒之冊

腰牌

"把這個奴才⋯之意

冊宝之冊

思量真可依靠

公田 軍屯田

進貢

進貢

尼魯特九人率部降結印封王貝勒進貢

暇逸

天下

天文地理

天亮

天暗

大計　大選　大概　大約　大抵

親伯叔祖 之孫

用從兄弟

短命的　當差行走　做官活計　正賦錢糧　官差上行走　征正賦

大銜　堂劄　過堂　大運　大睿　大修　計參　大徵

大挑　計興

経進

大寶 大祭

禘祭 大祭

大殺

君子

大擺牙唎

大業

大祭

太極

太宗熠燇

再添些

掃興 炙心

祭肉

用膳

大勝

始諡號

趕領

追封

133

捷音

料路

歇料

不得已 沒奈何

岁旱

興衰

消長

慌忙 急卒

下馬碑

陰文名符

這事上頭何妨

躲避

從此從後

欠缺

拖欠銀

欠撥銀

欠項

強支

欠領

痛改

134

一次一遭

接連

一則

一則　志意同向

丁囚艱

意念足了

不相上下

一足夠了

意足

殘疾

一連

一歇　寬三丈　長十八丈

一吊戮

一繩　量地歇十八丈為一繩

一行一動

一目地　六歇

一帶地方

同年

已兒

孤注

皆黑做買賣　瘴氣　惡氣

二千錢　一串　一吊錢　　劣員

一意直行　　劣蹟

一意度日　　斷流

很小一塊　　冷淡

一宿　一站路程　　流言

半孔长　三尺五寸　　作主

一頃地　一百畝　　誌志

一丁漢子地　三十畝　　勒書

一員　　同居

ᠮᠠᠨᠵᡠ 简明

ᠮᠠᠨᠵᡠ 空缺

ᠮᠠᠨᠵᡠ 消长册

ᠮᠠᠨᠵᡠ 减存

ᠮᠠᠨᠵᡠ 增耗

ᠮᠠᠨᠵᡠ 蹲虧

ᠮᠠᠨᠵᡠ 鳩殺

ᠮᠠᠨᠵᡠ 犯思量

ᠮᠠᠨᠵᡠ 咎徵

ᠮᠠᠨᠵᡠ 凶犯

ᠮᠠᠨᠵᡠ 時價

ᠮᠠᠨᠵᡠ 自此後　嗣石

ᠮᠠᠨᠵᡠ 從此用此

ᠮᠠᠨᠵᡠ 以此

ᠮᠠᠨᠵᡠ 這做什麼

ᠮᠠᠨᠵᡠ 將此

ᠮᠠᠨᠵᡠ 為此

ᠮᠠᠨᠵᡠ 火耗銀

ᠮᠠᠨᠵᡠ 加耗銀

ᠮᠠᠨᠵᡠ 潤耗銀

很傷感　　不減　不亞

才能

卯簿

才文效

拐騙

傾圮

鎖鍜

廢員

戳殺

拷打

着刑

刑法

按時

宝石

圭表

時憲書

記時表

時運

殘引

ᠮᠣᠩᠭᠣᠯ 破缺不齊

ᠰᠠᠶᠢᠨ 聖容

ᠰᠠᠶᠢᠨ 聖訓

ᠮᠣᠩᠭᠣᠯ 慶弔

ᠮᠣᠩᠭᠣᠯ 搭弔

ᠮᠣᠩᠭᠣᠯ 時氣

ᠮᠣᠩᠭᠣᠯ 氣斷

ᠮᠣᠩᠭᠣᠯ 飭盡

ᠮᠣᠩᠭᠣᠯ 行事走樣了

ᠮᠣᠩᠭᠣᠯ 生靈

ᠮᠣᠩᠭᠣᠯ 過失

ᠮᠣᠩᠭᠣᠯ 盤古

ᠮᠣᠩᠭᠣᠯ 過失殺

ᠮᠣᠩᠭᠣᠯ 異物誌

ᠮᠣᠩᠭᠣᠯ 異端

ᠮᠣᠩᠭᠣᠯ 聖人

ᠮᠣᠩᠭᠣᠯ 聖主

ᠮᠣᠩᠭᠣᠯ 神幡

ᠮᠣᠩᠭᠣᠯ 神牌

ᠮᠣᠩᠭᠣᠯ 神祇

139

ᠮᠠᠨᠵᡠ ᠪᡳᡨᡥᡝ 碑文

ᠪᡳᡨᡥᡝ 碑

ᠮᠠᠩᡤᠠ ᠪᠠᡨᡠᡵᡠ 明雄

ᠡᠯᡥᡝ ᡨᠠᡳᡶᡳᠨ 康齊䅸

ᠡᠨᡩᡠᡵᡳᠩᡤᡝ ᠠᠮᠪᠠᠯᡳᠩᡤᡠ 聖誕

ᡝᠯᡥᡝ ᠪᠠᡳᠮᠪᡳ 問安 請安

ᠠᡴᡡ 無差

ᠠᠨ ᠊᠊ᠠᡴᡡ 疑惑不足

ᠪᠠᡥᠠᠨ ᠵᠠᠯᠠᠨ 慌忙 莽卒

ᠪᠠᡳᡨᠠᠯᠠᠮᠪᡳ 急迷

ᡠᡥᡝᡵᡳ ᡨᡝᡳᠯᡝ 逐一 一件件

ᡤᠠᡳᡨᠠᠪᠣᠮᠪᡳ 綾決

ᠪᠠᡵᡤᡳᠶᠠᠮᠪᡳ 招撫

ᠪᠠᡵᡤᡳᠶᠠᠮᠪᡳ 招墾

ᠠᠨᡳᠶᠠ ᡝᠯᡤᡳᠶᡝᠨ 丰年

ᠮᡠᡴᡝ ᡠᠰᡳᠨ 丰事 丰足

ᡝᠯᡥᡝ 安舒

ᠰᡠᠯᠠᡴᠠᠨ 遅延

ᠠᡝᠨᠨ ᠰᠣᠯᠣ 遅慢 温柔

ᠰᡠᠯᠠᡴᠠᠨ 從容

銅牛腿號

自然・私自　自刷

照前本　限票

值日

正午

錄用

紀錄

跳班

將及　將夠

盡夠用拿去　打到

拒敵

團練

抵觝

搖會　賭戲

妖瘋邪狂

伸縮　屈伸

141

᠊ᠠᠶ᠋ᠯᠠᠨ᠋ᠠᠮᠪᠢ	連班		
ᠠᠶ᠋ᠠᠨ᠋ᠠᠮᠪᠢ	換班		
ᠠᠶ᠋ᠠᠮᠪᠢ	值宿		
ᠠᠶ᠋ᠠᠮᠪᠢ	值班		
ᠠᠶ᠋ᠠᠮᠪᠢ	推班	ᠶᠠᠴᠢᠨ	三綱
ᠠᠶ᠋ᠠᠮᠪᠢ	補班	ᠶᠠᠴᠢᠨ	三伏
ᠠᠶ᠋ᠠᠮᠪᠢ	跐班	ᠶᠠᠴᠢᠨ	三代
ᠠᠶ᠋ᠠᠮᠪᠢ	換班	ᠶᠠᠴᠢᠨ	三略
ᠠᠶ᠋ᠠᠮᠪᠢ	該進班 去進班	ᠶᠠᠴᠢᠨ	交班
ᠠᠶ᠋ᠠᠮᠪᠢ	進班	ᠶᠠᠴᠢᠨ	曠班

142

賣火鏃

強盜 明火

強劫

排陣對敵的明兵

匾額

表記

上表

蒲徒

蒲流

三代世表

附峇

不便 不順

不疼 無礙

不管 不懂

新收

生手

新倒 新墾

新任

新到之月

上段（右起）：

帛票　挨肩兄弟　影射　經緯　經編　經緯　撥補　安置　不得頭何　不合人　樅．贈終衣

下段（右起）：

挨次　從一品　朽木　交派　來年　相惱　積惱　民罟　民生　民字號

144

甄別

驗看

揀選　銓衡

議敍

不辭

简便单

順便

捡选

缺主　賣缺之更

無缺　無影

缺上

欠缺

候缺

開缺

出缺

二十四節氣

春蒐

鍾山弟兄

145

狠毆

酷刑

很健志

泛輕　浮泛

入于計典浮躁　各省大計　六法攷語

精神

避開路走

抄搶

參票

浮躁

怠玩

挑畿

很窄用

卯俯

寬恕

兼程

寬免

受傷　吃虧

ᠮᠠᠨᠵᡠ 失指望

ᠮᠠᠨᠵᡠ 叛逆

ᠮᠠᠨᠵᡠ 逸犯

ᠮᠠᠨᠵᡠ 逸益

ᠮᠠᠨᠵᡠ 頁載

ᠮᠠᠨᠵᡠ 真諳

ᠮᠠᠨᠵᡠ 真實

ᠮᠠᠨᠵᡠ 誠實

ᠮᠠᠨᠵᡠ 長輩

ᠮᠠᠨᠵᡠ 敦睦

ᠮᠠᠨᠵᡠ 馳驛

ᠮᠠᠨᠵᡠ 農忙

ᠮᠠᠨᠵᡠ 農隙

ᠮᠠᠨᠵᡠ 魚鱗冊
阡陌田畝之
細冊

ᠮᠠᠨᠵᡠ 田界

ᠮᠠᠨᠵᡠ 星長

ᠮᠠᠨᠵᡠ 神農

ᠮᠠᠨᠵᡠ 夏時除損禾之圍獵

ᠮᠠᠨᠵᡠ 佃戶

ᠮᠠᠨᠵᡠ 歸農

坌苴

受財

交盤

遞挪

短解

外抄 六科的事　抄之事

傳遞

溝洄

接連傳之

笊差去日外所帶吃的及

坌然不曉

並無

不通

夏苗

过付

發財

財多

行頭

財帛牛馬供于神前叩首　献过变作祭祀

財貨　財帛

148

漢軍　為首之人

阡陌　罵人砍頭

零辞　家生子 家奴之子

撬門　養子

撞門　慈母

觀歌　養父

机會　刑辟

全然無効　吃得重担之馬

無可奈何　端重

沒奈何

不能動揺　沉重

通称　總稱

曾興

總起来

統轄

重陽

九流　儒陰陽　法名墨子　縱橫雜農・道家

大祭前一連二日祭

九卿

臘八粥

頭那帀

喜之不盡

受賀

是是非非

是非

崩

操演　操練

熟用

很一樣

風聞　傳聞

一統志

ᠰᠠᠺ 尚未 尚早

ᠰᠠᠺ ᠨᠠᠠᠴ 虚衔

ᠰᠠᠺ ᠨ ᠠᠵᠠᠢ 回空

ᠰᠠᠺ ᠵ ᠠᠨ 喜峯

ᠰᠠᠺ ᠵᠠᠺ 賀喜

ᠰᠠᠺ ᠠᠵ 喜樂

ᠰᠠᠺᠵ ᠰᠠᠺ 偏歪 遅慢行走

ᠰᠠᠺ ᠠ 偏護

ᠰᠠᠺ ᠵ 朝賀

ᠰᠠᠺ ᠵᠠ 賀礼

ᠰᠠᠺ ᠵ ᠠᠠᠰᠠᠺ 咨文 蘆課銀

ᠵᠠᠺ ᠠᠺᠵ 婚錢 戒留錢也

ᠵᠠᠺ ᠵᠠᠺ 漸漸 漸次

ᠵᠠᠺᠵ ᠠᠺ 諾命 玉品汏上受諾

ᠵᠠᠺ ᠠᠵ 諾

ᠵᠠᠺᠵ ᠰᠠᠺ 告示

ᠵᠠᠺ ᠵ 宗族

ᠵᠠᠺ ᠠ ᠰᠠ 皇宗室之爵

ᠵᠠᠺ ᠵ ᠠᠺ 追故尾次殺

151

ᠪᠣᠳᠣᠯᠭ᠎ᠠ 情留

ᠵᠢᠭᠰᠠᠭᠠᠬᠤ 逐斥

ᠪᠡᠯᠡᠳᠬᠡᠭᠰᠡᠨ 現成

ᠬᠤᠷᠤᠭᠤ ᠲᠣᠯᠣᠭᠠᠢ 編指掌

ᠲᠠᠷᠭᠤᠯᠠᠬᠤ 脂膏

ᠣᠩᠭᠣᠯᠠᠬᠤ 葬埋

ᠰᠣᠩᠭᠣᠬᠤ 即选

ᠨᠥᠬᠥᠬᠦ 即補

ᠪᠠᠢᠷᠢᠯᠠᠬᠤ 立歇

ᠨᠠᠷᠢᠯᠢᠭ 精密

ᠨᠠᠷᠢᠯᠢᠭ ᠮᠠᠭᠠᠳᠯᠠᠬᠤ 精微批

ᠣᠯᠠᠮᠠᠭᠠᠷ 拮据

ᠨᠢᠭᠤᠴᠠ ᠬᠡᠷᠡᠭ 細密隱事

ᠬᠤᠷᠢᠶᠠᠬᠤ 韋藏

ᠵᠠᠯᠢ ᠮᠡᠬᠡ 洋謀

ᠬᠤᠷᠳᠤᠨ ᠡᠯᠴᠢ 先鋒便的小鐺

ᠠᠯᠠᠬᠤ 誅

ᠰᠤᠪᠤᠷᠬᠠᠨ 凄凄切切

先世 先代

攤派

現徵

現任

現成

準備好

章存

章存銀

將及拿住又脫脫

逢着

平阜

行灶

平緩

平耀

平定

溫和

柔軟順當

前任

前參

昔年 先年

153

ᢒᠠᠰᢙ ᢆ ᠠ ᠠᠰᢙ 藏变色 生气　　᠊ᢎᢙᠠ ᢎ ᠠᢙᠠ 足足的取拿

ᢒᠠ ᠰ ᠠ 紀錄 記過　　᠊ᠠᢎᢙ 甲乙之乙 淡綠 淺綠　　᠊ᠠᢎᢙ 重馱

᠊ᢎᢙᠠ 溫雅　　᠊ᠠ 漢文 漢書　　᠊ᢎᢙᠠ 連在一起

᠊ᢎᢙᠠ 先祖　　᠊ᢎᢙᠠ 視民如傷之如傷　　正月十六日

᠊ᢎᢙᠠ ·長短錢　　᠊ᢎᢙᠠ 青黃不接

᠊ᢎᢙᠠ 短工　　᠊ᢎᢙᠠ 綠旗漢兵之營

᠊ᢎᢙᠠ 此事　　᠊ᢎᢙᠠ 綠頭牌

᠊ᢎᢙᠠ 乘机會　　᠊ᢎᢙᠠ 綠色　　᠊ᢎᢙᠠ 甲 綠色 青色

154

病故

心跳

視疾

養親

入手計與有疾

結親

祈雪

沾親

桃花水滾下來了

親戚

桃花水

馬步箭

戒色銀

店房

戒色金 不足十成之金

人勸勉行之

着的結實

挫鋭氣

是足的蜡

泄燒

ᠮᠠᠨᠵᡠ ᠪᠢᡨᡥᡝ

満文	漢義
(ᠮᠠᠨᠵᡠ)	找銀
(ᠮᠠᠨᠵᡠ)	找銀銀
(ᠮᠠᠨᠵᡠ)	批封
(ᠮᠠᠨᠵᡠ)	很容易
(ᠮᠠᠨᠵᡠ)	立春
(ᠮᠠᠨᠵᡠ)	春分
(ᠮᠠᠨᠵᡠ)	祀
(ᠮᠠᠨᠵᡠ)	上陣不穿盔甲
(ᠮᠠᠨᠵᡠ)	候補
(ᠮᠠᠨᠵᡠ)	捕額
(ᠮᠠᠨᠵᡠ)	垂下之城 將及攻下之
(ᠮᠠᠨᠵᡠ)	省親

満文	漢義
(ᠮᠠᠨᠵᡠ)	六藝
(ᠮᠠᠨᠵᡠ)	漁翁
(ᠮᠠᠨᠵᡠ)	六合 上下四方為六合
(ᠮᠠᠨᠵᡠ)	六韜三略
(ᠮᠠᠨᠵᡠ)	佳題會商公事處
(ᠮᠠᠨᠵᡠ)	春說
(ᠮᠠᠨᠵᡠ)	找兌

156

関防

乾肉

親熱 慌張

梗塞

勇往直前

何上冲出

射箭舉不動

良善

哨地

哨兵

取報

還報

回投 回帖

凡事不明不實浮泛從處之

弹压 擅压

督理

督緝

督催

ᠮᠠᠨᠵᡠ ᠪᠢᡨᡥᡝ

籐牌兵

千戈

搪隘

單人獨馬

三事筒

函卡接哨、會哨

行事委映

哨樓

安哨探

哨探

怪言

行取

带徵銀

兼管

附運

皆攬　絆上

攔截別人説話　話難

搶修

剃剛

鄉賢

理書

鄉丁

社

鄉村　村莊

村奴才

鄉党

攏亂

擧哀

怪物

題名錄

前站

頷文　頷咨　頷支官物之執照

瞭如指掌

著手　動手

分翼

割脣

手快

獨自

反覆尋求

159

ᠴᠢᠷᠠᠢ 各樣

ᠵᠠᠮ ᠶᠣᠰᠣ 左道邪教

ᠡᠷᠡ 大丈夫事業

ᠭᠠᠷᠤᠭᠰᠠᠨ 強勝出群者

盟長

會盟

苦獨力 奴才

同分五裂

空身 獨甘

各件 件件

節次

條陳 列款項 分類

各種 各樣

糧單

輪女奴

改補

改折

改折銀

改覓

ᠮᠠᠨᠵᡠ 魚鱗冊 宫字号

ᠮᠠᠨᠵᡠ 官儀官箴

ᠮᠠᠨᠵᡠ 條陳 官帖

ᠮᠠᠨᠵᡠ 催緝

ᠮᠠᠨᠵᡠ 紅單 休致

ᠮᠠᠨᠵᡠ 滾單 草職

ᠮᠠᠨᠵᡠ 勉強 摽蕚

ᠮᠠᠨᠵᡠ 諸項 屬地

ᠮᠠᠨᠵᡠ 逐項 逐項 很緊急

ᠮᠠᠨᠵᡠ 上元之際 愛惜

ᠮᠠᠨᠵᡠ 邪術多之人 出年 錢糧之年

ᠮᠠᠨᠵᡠ 襲職

ᠮᠠᠨᠵᡠ 議官

ᠮᠠᠨᠵᡠ 加銜

ᠮᠠᠨᠵᡠ 遺典

ᠮᠠᠨᠵᡠ 官犯

ᠮᠠᠨᠵᡠ 領憑

ᠮᠠᠨᠵᡠ 職銜

ᠮᠠᠨᠵᡠ 官爵 官銜

ᠮᠠᠨᠵᡠ 官員

ᠮᠠᠨᠵᡠ 官階

ᠮᠠᠨᠵᡠ 洞澗

ᠮᠠᠨᠵᡠ 修濬

ᠮᠠᠨᠵᡠ 達孝

ᠮᠠᠨᠵᡠ 通典

ᠮᠠᠨᠵᡠ 通政

ᠮᠠᠨᠵᡠ 通本

ᠮᠠᠨᠵᡠ 過殺

ᠮᠠᠨᠵᡠ 夾帶

ᠮᠠᠨᠵᡠ 夾攻

ᠮᠠᠨᠵᡠ 夾片

162

玉牒

清棄

廉恥

廉介

留標

發標

左袒

瞻仰

上朝

朝覲

複告

稟告

熱審

湯泉

處暑

陰工

養廉銀

帝系

ᠵᠢᠷᠤᠮ 遵例

ᠵᠢᠷᠤᠮᠯᠠ 遵例

ᠵᠢᠷᠤᠮᠯᠠᠬᠤ 則例

ᠵᠢᠭᠠᠵᠤ 興引

、

ᠵᠢᠭᠡᠯᠡ 受傷、吃虧

ᠵᠢᠭᠡᠯᠡᠮᠵᠢ 施毒

ᠵᠢᠭᠦᠷ ᠵᠢ 傷之

ᠵᠢᠳᠬᠦ 吃虧 菩怨

ᠵᠢᠳᠬᠦ 菩怨

ᠵᠢᠷᠤᠭ 書冊

ᠵᠢᠷᠤᠮᠵᠢᠶ᠎ᠠ 明白寫下記着

ᠵᠢᠷᠭᠠᠯ 短派

ᠵᠢᠷᠭᠠᠯ 不走去之處去了

ᠵᠢᠷᠤᠭᠯᠠ 法言

ᠵᠢᠷᠤᠮᠵᠢ 條例

ᠵᠢᠭᠳᠡ 比例

ᠵᠢᠭᠰᠠᠭᠠᠯ 緊例

ᠵᠢᠷᠤᠮᠵᠢ 熙例

ᠵᠢᠷᠤᠮᠵᠢ 皆例

往外省去

長行

鄉試

獨樹

直竪著跪

慘刻

御賞銀

可誇　可疑

五常　仁義礼智信

仁德

尚且那樣何况這懞

長城

遠流

長計

御馬

謙礼

略言さ

嚇死

順戦

165

ᠸᡝᡳᠯᡝ ᠸᡝᠰᡥᡠᠨ ᠸᡝᠰᡥᡠᠨ

ᠸᡝᠰᡥᡠᠨ ᠸᡝᠰᡥᡠᠨ 施威

ᠸᡝᠰᡥᡠᠨ ᠪᡠᡥᡝ 威逼致死

ᠸᡝᠰᡥᡠᠨ ᡝᡥᡝ 威權

ᠸᡝᠰᡥᡠᠨ 羽翼

ᠸᡝᠰᡥᡠᠨ 糾駁

ᠸᡝᠰᡥᡠᠨ 髐查

ᠸᡝᠰᡥᡠᠨ 跳城

ᠸᡝᠰᡥᡠᠨ 棺槨

ᠸᡝᠰᡥᡠᠨ 方圓

ᠸᡝᠰᡥᡠᠨ ᡠᠯᡥᡳᠶᡝᠨ 兵符

ᠸᡝᠰᡥᡠᠨ ᠪᡠᡥᡝ 挺強行之

ᠸᡝᠰᡥᡠᠨ ᠪᡠᡥᡝ 事情成了

ᠸᡝᠰᡥᡠᠨ 拖累

ᠸᡝᠰᡥᡠᠨ 自領

ᠸᡝᠰᡥᡠᠨ 烽火

ᠸᡝᠰᡥᡠᠨ 墩台

ᠸᡝᠰᡥᡠᠨ 拐帶

ᠸᡝᠰᡥᡠᠨ 冬狩

ᠸᡝᠰᡥᡠᠨ 放圍圖

ᠮᠤᠵᠢᠯᠠᠨ᠋᠃

任意

ᠮᠤᠵᠢᠯᠠᠨ ᠢ ᠮᠠᠭᠠ᠋ᠳ ᠰᠠᠨᠠᠭ᠎ᠠ
曽意

ᠰᠠᠨᠠᠭ᠎ᠠ ᠦᠭᠡᠢ ᠰᠠᠨᠠᠭ᠎ᠠ
無甚主意

ᠰᠠᠨᠠᠭ᠎ᠠ ᠦᠨᠳᠦᠷ
心高

ᠰᠠᠨᠠᠭ᠎ᠠ ᠪᠠᠯᠠᠷᠠᠬᠤ
心慌意乱

ᠰᠠᠨᠠᠭ᠎ᠠ ᠪᠠᠯᠠᠷᠠᠬᠤ
情切

ᠰᠠᠨᠠᠭ᠎ᠠ ᠠᠯᠳᠠᠬᠤ
意乱

ᠰᠠᠨᠠᠭ᠎ᠠ ᠡᠪᠡᠳᠬᠦ
傷心

ᠰᠠᠨᠠᠭ᠎ᠠ ᠪᠠᠷᠢᠬᠤ
拿主意

ᠰᠠᠨᠠᠭ᠎ᠠ ᠲᠠᠯᠪᠢᠬᠤ
留心

ᠰᠠᠨᠠᠭ᠎ᠠ ᠬᠦᠷᠬᠦ
致意

ᠮᠠᠭᠠᠯᠠᠬᠤ
鏖戰

ᠮᠠᠭᠠᠯᠠᠨ ᠪᠤᠴᠠᠬᠤ
歸伍

ᠮᠠᠭᠠᠯᠠᠨ
營盤

ᠮᠠᠭᠠᠯᠠᠯ
廢弛營伍

ᠮᠠᠭᠠᠯᠠᠯ
營伍

ᠮᠠᠭᠠᠯᠠᠯ ᠤᠨ ᠲᠡᠷᠢᠭᠦᠨ
為首的武官

ᠮᠠᠭᠠᠯᠠᠬᠤ
勾到

ᠮᠠᠭᠠᠯᠠᠬᠤ ᠬᠦᠷᠬᠦ
達麦

167

力壮　力强

福至　得福

养老女婿

变价银

尽力

行税

出力

开税

市价

条记

经纪

安营

变价

正身　亲身

市布裥　牙帖

族祖银

招旗　由此挑归入另档

富庶人家

淨署　入院　於阻　刷黃　養育兵　兌留　會票　會票銀　召見　火牌

形容　身格　形容性格端正　致謝　方言　騰地方　給留地步　令擱空　窩主　羅發

ᠬᠣᠣᠷᠠ 支言朗說

ᠪᠠᠭᠠᠲᠤᠷ 勇敢

ᠨᠡᠭᠡᠭᠳᠡᠬᠦ 越開

ᠢᠲᠡᠭᠡᠨ ᠢᠶᠡᠷ ᠬᠡᠯᠡᠬᠦ 信口朗說

ᠲᠠᠯᠠᠷᠬᠠᠬᠤ 謝降

ᠲᠠᠬᠢᠯᠭ᠎ᠠ 方祭 又曰社祭，秋祭曰方

ᠲᠦᠭᠡᠮᠡᠯ 遍輯

ᠭᠠᠵᠠᠷ ᠤᠨ 處處的

ᠭᠠᠵᠠᠷ ᠲᠤ 到處

ᠲᠠᠯᠠᠷᠬᠠᠯ ᠪᠠᠷ ᠲᠠᠯᠠᠷᠬᠠᠬᠤ 作謝為謝

ᠲᠡᠮᠳᠡᠭᠯᠡᠬᠦ ᠬᠡᠷᠡᠭ 署事

ᠰᠢᠯᠭᠠᠬᠤ 查對

ᠪᠠᠶᠠᠨ ᠬᠦᠨᠳᠦ 富貴

ᠵᠢᠯ ᠤᠨ 期年

ᠡᠯᠪᠡᠭ ᠵᠢᠯ 丰年

ᠲᠠᠲᠠᠪᠤᠷᠢ 科派

ᠠᠩᠬᠠᠷᠤᠯᠲᠠᠢ 警覺

ᠲᠠᠰᠤᠯᠬᠤ 剪決

ᠰᠠᠮᠠᠭᠤᠷᠠᠬᠤ 胡亂動作

ᠳᠣᠭᠰᠢᠨ ᠳᠠᠷᠤᠯᠠᠬᠤ 目下亂放

查得

報恩

奏請陞用

尋找東西

案呈　引用原案

不甲用　無用閑人

指示

事務

事情上弄不来

卸事

生事

事主

支銷

駁議

點視

盤查

伏乞

駁票　備查發蹤之印

失察

依着·跟着·順着

因為 即然

親供

鬥毆

打架

壞閘

駁行

歸荒开

潴斷

駁回

雨水太多地漫壞了

錄科

後母

毗兄

生父

平生

敵對

隊伍

收繳

批迴

172

太監淨身

脩身

引見

甘盡

敏勉

德潤身

身体不舒適

唵嚜行礼

身体各部分揹稱

投首

詫告

湘墨污

拉弓

弓胎

弓軟

弓硬

各自各自

放在近身

入己

入己銀

限景

野草地有路者

撫慰　剿撫

有無

打千兒

柔文

放債

招解

勤語

月盡頭

月小

月大

月將盡

留抵

存留銀

還限

展限

勤限

遜限

174

ᠮᠠᠨᠵᡠ

月初頭
月朗
中秋
月食
週月
許多月
溜迤走
河工
衝決
閘洩

利字
投供
憑　外任文官之憑照
儒釋道三教
文學武略
文官　正卿以下有頂戴以上
文臣
出征　聽便

175

所最急成　方略　勘估　奏銷　報銷　追賠銀　立徵銀　催文　被雹打全然無妨　禾被雹打

户檔　户口　立契　契尾　契根　文約　秋審　秋漲　秋分　立秋

176

致齋

清正

料不完

邸鈔增報

家譜

敷土礼

承受家産

當家立計

家事

死戰

慌慌逃走

溫泉

隱語

入手計其罷歇

闇茸

囚車

窃盗

鶏姦

以怪誕惑人之罪

私欲

雜項

小修

小濬

雜稅

齎零冊

小抄

雜職

缺支

各自逃走

出銅

支銷銀

殺的堆積多

各糊了之

埋伏兵

急忙 · 紛紜

薨逝

樂聯

甘結

略少絡些　荐舉

斬罪

彼此混砍鏖戰

斬殺　斬決

折算

折結

秋獮

量砌

黔首　黎庶

異姓親戚

祥瑞

盏牌

申修

估計

据估

折色銀

一青

並其

沒揑當

很暢快

有年紀了

平昔 平素 先前

蓮宴

老病

天性

良心

鬚髮

鈔支

傳文

駐防

防守

防範

趕車

意欲篤切行之

慮長遠

入手計與 年老

未老先衰

斑白 老了

報捷

決曰

鈕

傳諭佈告

淹殺

滴血　揷血

血流

柳號

詔

冒濟

喪服日剞

喪服小記

陳黻

無填墨

舖墊銀

發報

報

很小　細、微

報到

181

ᠪᠠᠢᠮᠪᠢ 求籤

ᠪᠠᠢᠮᠪᠢᠴᠠᠮᠪᠢ 于証 中间人

ᠪᠠᠢᠮᠪᠢᠴᠠᠮᠪᠢ 守處及出卖用五根籤
ᠪᠠᠢᠮᠪᠢᠴᠠᠮᠪᠢ 编號数坐堆子傳籤

ᠪᠠᠢᠮᠪᠢ 制籤

ᠪᠠᠢᠮᠪᠢ 守制

ᠪᠠᠢᠮᠪᠢ 服関

ᠪᠠᠢᠮᠪᠢ 丁憂

ᠪᠠᠢᠮᠪᠢ 闻訃

ᠪᠠᠢᠮᠪᠢ 問喪

ᠪᠠᠢᠮᠪᠢ 奔喪

ᠪᠠᠢᠮᠪᠢ 穿孝

ᠪᠠᠢᠮᠪᠢ 于証 中间人

ᠪᠠᠢᠮᠪᠢ 公用

ᠪᠠᠢᠮᠪᠢ 公用銀

ᠪᠠᠢᠮᠪᠢ 公費

ᠪᠠᠢᠮᠪᠢ 公項

ᠪᠠᠢᠮᠪᠢ 公文

ᠪᠠᠢᠮᠪᠢ 估估

ᠪᠠᠢᠮᠪᠢ 釋奠

ᠪᠠᠢᠮᠪᠢ 料估

ᠪᠠᠢᠮᠪᠢ 粗舉大概 扺而言之

ᠪᠠᠢᠮᠪᠢ 寫粗稿

貢院

號房

試卷

副科

拔選

拔甲

蕭條　不熱鬧

賣脂

間補

憑据　記號

鼠耗

續繼

繼父母

緝祭

續出

接任

接署

接微

相連　関切

精兵

承塵

暗兵

推諉

同姓

潰醉

賞雨無厭

皆龍門

曠土

開款

裁曠銀

挑取

揀發

單月

歛跡

推挽

候選

罷玩

減跡

184

五常

五行

寬柱

無辜

印綬

膽黄

屄氣

聰慧

聰明

初祭

賜奠

賞

掌嘴

開除

銷算　開隊

馳驅

轉牌

五代奴僕

五穀

朔日

頂衝

催要

請假

桌題

跳營寨

入伏

賞罰

轉牌

科歛

長解

諳熟員通

枝責

查功牌

鞭責　靜鞭

暫領

常常

群毆

夥長

絞決

絞罪

誤殺

虛贓

參差

檢舉

出差

暫理

勸解

風教

院玫

主使

敕

敕命封六品以下

請訓

臨雍

小路

抄搶

ᠯᡳ ᠪᡳᡨᡥᡝᡳ 開復

ᠪᡝᠨ ᠰᡝᡴᡳ 本色銀

ᠵᡳ ᠮᡠ ᠵᡳ 目籍

ᡥᡠ、 ᠪᡳᡩ 虎、與

ᠯᠠᡳ ᠸᠠᠩ ᠪᡠ ᡩᡠᠸᠠᠨ ᡯᡝᠣ 來往不斷走

ᡩᠠ ᡯᡠᠨ 打尊

ᡩᠠᠩ ᠴᡝᠩ 堂呈

ᡴᠠᠨ ᡧᡠ ᠸᡝᡳ ᡤᡳ 砍樹為記

ᡯᠣ ᡨᠠᡳ ᠠᠨ ᡨᠠᡳ 坐台安台

ᡯᠣ ᠴᠠᠩ ᡯᠣ ᠵᡳᡠ 照常照舊

ᠯᡳᡠ ᡩᡠ ᠪᡝᡳ ᡩᡠ 留都陪都

ᠪᡳᠩ ᡥᡝᡠ ᡶᡠ ᠶᡠᠸᠠᠨ 病後復原

ᠸᡠ ᡨᡝᡠ ᠰᡝᡠ 無頭緒

ᠪᡝᠨ ᠮᠣ 本末

ᡤᠠᠣ ᡯᡠ 高祖

ᠱᡳ ᡯᡠ 始祖

ᡯᡠ ᠵᡳ 祖幾

ᠪᡝᠨ ᡤᡳ 本紀

ᠪᡝᠨ ᡳ 本義

ᠬᠠᡦᡠᠨ ᠤ ᡤᡳᠰᡠᠨ　出政語

ᡩᠠᡥᠠᠯᠠᠮᡝ ᠴᠣᠣᠯᠠᠮᠪᡳ　隨征

ᠬᡳᠨ ᠮᡠᠵᡳᠯᡝᠨ　投誠

ᡨᠠᠰᡥᠠᠯᠠᠮᡝ ᠪᡝᠨᡝᠮᠪᡳ　押運

ᡩᠠᠯᠪᠠᠯᠠᠮᡝ ᠪᡝᠨᡝᠮᠪᡳ　押解

ᠪᠠᡳᠴᠠᠮᠪᡳ　勘察

ᠰᠣᠨᠵᡝᠮᠪᡳ　票簽

ᠪᠠᡳᠴᠠᠮᠪᡳ　發單

ᠮᠠᡶᠠ ᠪᡝ　祖軬

ᠬᠠᡦᡠᠨ ᠤ ᡤᡳᠰᡠᠨ　出政語

ᠵᡠᠸᡝᠮᠪᡳ　重複、修、治、更

ᠪᠠᡥᠠᠮᠪᡳ　戰意

ᡩᠠᡥᠠᠮᠪᡳ　伏殺

ᠰᡠᡵᡝᠮᠪᡳ　超班　越級陞

ᠰᡳᠮᠨᡝᠮᠪᡳ　覆試

ᠪᠠᡳᠴᠠᠮᠪᡳ　厲審

ᠵᡠᠸᡝᠮᠪᡳ　重複

ᠪᠠᠳᠠᠮᠪᡳ　恢復

ᠳᠠᠬᡠᠮᡝ ᠪᠠᠳᠠᠮᠪᡳ　起復

ᠪᠠᡩᠠᠮᠪᡳ　覆戮

征夫

長工

救援兵

請示

昔　向來　從前

守衛

主謀

首犯

首盜

政興

開戶

盐引

加帮

盐課銀

盐法

盐賊

盐徒

護理

生事端

陣亡

190

郤然

至今

著回原籍

鄉紳

鄉勇　土兵

本地　土著

不相干

註銷

不相稱

刪殺

坐扣

況且

以前　先是

平餘銀

挪移銀

剝掯　盤剝

腰簽

從優

191

ᠮᠠᠨᠵᡠ ᠪᡳᡨ᠌ᡥᡝ

爭角　邪祟　極刑　天性　逓殺陞轉　稔知　宜祟　守訊兵　守分　各甘　齊齊

狼烟　號烟　畫押　號衣　執照、票　令牌　令箭　號簿　號筒　編號　鈐記　圖記

192

科則

始末　始終

看情面　狗情

丟臉

當面

變臉　犯顏

爭顏

殿試

陞見

鴻恩

分離

分發

分肥

很利害　很好

上供

上謝

狗庇

分登

起徵銀

陞增

截毀

邀截

火械

塞責 充數

額徵銀

欽額銀

溢額銀

經制額設

額編

公平

忠恕

忠信

忠良

無定

出語

定律

成招

經費銀

老稅

活租

半夜 子時

星夜

賠補

賠累

薦承

經略

從權

正好 正是

正直

開印

印

叩頭做揖行大礼

礼儀 道統

朝審

朝審

朝攷

抄近

小路 捷径

裡裡外外

納采　題本　印結　印信模糊　紅契　空白有印無字　掌印　佩印　摘印　封印　用印

預領　臟官　贓　贓幣　冠冕　演礼　拜牌　礼讓　儀注

196

ᠮᠠᠨᠵᡠ 任所

ᡵᠠᠪᠠ 倣有益事

ᡤᡝᠨᡤᡤᡳᠶᡝᠨ 陞規銀

ᠨᠠᠰᠠᠯᠠᠮᠪᡳ 內謀猷 運籌帷幄

ᠰᡝᠯᡝ 宿衛

ᡵᠠᠪ 附㑹

ᠰᡝᠩᡤᡳᠶᡝᠨ 宫報

ᠮᠠᠯᡥᡳ 凶陛

ᠪᡳᡨᡥᡝ 暴戾

ᠮᠠᠨᠵᡠ 戀職

ᡤᡝᠮᠣ 曠官

ᠮᠠᠨᠵᡠ 溺職

ᠮᠠᠨᠵᡠ 不職

ᠮᠠᠨᠵᡠ 離任

ᠮᠠᠨᠵᡠ 解任

ᠮᠠᠨᠵᡠ 陞任

ᠮᠠᠨᠵᡠ 到任

ᠮᠠᠨᠵᡠ 留任

ᠮᠠᠨᠵᡠ 原任

外轉

外省秋審

萬壽無疆

咨遣

摘參　舉核

攝貼

顛沛　奔奔

改職

誤職

失火

失主

催夫

粗銀

粗稅

擅用

拼裁

略節

說帖

貼黃

ᠮᠠᠨᠵᡠ 門單

ᠮᠠᠨᠵᡠ 看語

ᠮᠠᠨᠵᡠ 監視

ᠮᠠᠨᠵᡠ 看守 鎖守

ᠮᠠᠨᠵᡠ 城守兵 邊巡

ᠮᠠᠨᠵᡠ 征伐

尾欠

ᠮᠠᠨᠵᡠ 大糖完了 尾郎

ᠮᠠᠨᠵᡠ 終始

ᠮᠠᠨᠵᡠ 委牌

ᠮᠠᠨᠵᡠ 端愳

ᠮᠠᠨᠵᡠ 情實 猖乱

ᠮᠠᠨᠵᡠ 出榜

ᠮᠠᠨᠵᡠ 填榜

ᠮᠠᠨᠵᡠ 火煐

ᠮᠠᠨᠵᡠ 冬至

駑駘無才

辭賀

生息銀

加息

同歲

不肖

規矩

終養

甬路

中祀

前月

去年

決斷辦理

刀打

連累

文數捯

貼出

粘單

粘單

200

ᠮᠠᠨᠵᡠ

馬甲　馬乾

漕載銀　兌行

截留　兌運

截留銀　搶手兵

排單　邪學

綠賊　挑淺

取信息　盡情力勸

沿海

各具

剛鋭　馬銀

ᠮᠠᠨᠵᡠ

宗族

玖成

盡力

僻處

山僻之處 、

遠道走

自刎

木牌

騎馬圍箭

抗糧

舍牧

鞴䋆

略借

朝享

進哨

祭壇

趕幇

貴族

ᠵᡠᠸᠠᠨ　硃卷

清早

私和

甘契

攷試

丁册

同名

修築

正直處之

盡力走

祖價

稅契銀

稅銀

稅粘

嚴審

建坊

前年

茶稅銀

心紅銀

軍犯

克軍

奬武牌

劄付

軍政武職考察之典

軍令　軍法

軍机

賜號

正陪

擬正

擄掠

克兵　曾盟　演習

克兵　曾聚議事

卓異　卓異保薦

尊特

撤兵

起兵

軍罪

204

歷代　累累　一節節　　再期

革稅

八法

拒捕

空陳

拿問

尋陳问之

奸宄

尋錯

太过　很

審供

口角

致滿

取口供

使人中间説事

沿迎

世世　累世

過疆

行伍　隊伍

関節

加級

減等

降級　降調

次序　等第

占堆

迎岸

儀悻

偷安

正身

正本　正項

正稅

發法

當爭

慈惠

來月

畫楅

故殺

交代

注語

探傷

殉難

辛苦　艱難

夾帶

重徵

墊賠

墊餬

墊發

坐堆子

踏賣銀

踏引

沿途

踏程

踏走一羊

子弟　弟子

207

漕糧

借債

借債　放賬

債

借給　給与

刷造

牌頭　十戶設牌頭

還願

前鋒

前引

重支

古代

封條

剛剛夠

恰恰好

双双　对对

起解　起解銀

起運

起蓮

輕齎銀

照行　剃眼　行走　那樣

是自　駁到　部車　義理　重開

步兵　接續不斷　各項各樣　貪賤　行多背莛　行止不端　行文　行稿　履歷　亢行　亢進

ᠰᠠᡳᠨ　實徵銀

實收

實錄

實在 殷實

事實

實錄

飢寒

儀礼　通関

坐体

句引

諸故之兵

虛實　實儀

發祥地

事蹟

雨座

蒙古犯罪罰財物

簡省

度量

簡約

當思

恩賞賫銀

謝恩

恩詔

施恩　加恩

名望　名譽

揀選有名

頂名

點卯

賜名

摺曉

更名

花名冊

名單

職名

昭

風俗

克敬

京察

恐嚇

清文

明通

清明

同寅

取功名

和諧

和衷　通衷

會議

管見

蕩平

敢

訐告　首告

出首

明君　明主

還有家產

掏摸

王府旗牌

奉旨降用

欽差

述旨

奉旨

旨、敕、上諭

界牌

綱紀

警敕

聘牌

敬疏

懷夾

懷來

疏忽

截奪

殷奠

橫竪

奮斷

稽繁

殿試減

殿對

勤慎

慢誑

壓旗

撤旗

仇板

遺骨

火葬

殯葬

撤驗

出殯

戮屍

撤審

壓死

依議

議奏

盤費銀

科鈔

儌素

侵蝕銀

侵蝕　尅落

侵欺

侵漏

夾訊

巡狩

安台站

件件的

尋人过失

放鷹

敬止

打更

潇辱

辱罵

監犯

栽

還宮

付咨

肥封

挪墊

滿洲奴才

樸實

剔隻

伺候王貝勒之人

朋党

烟打

刀扎

獎勵銀

勸懲

勸墾

整脊

謝功　敘功

恭謹

費用　凌遲　奮發　正法　律　佛告　傳諭　通曉　法度　緊約　法度　流罪　自縊

辱詈　調撥　調遣　遷遂　無抵　准抵　追趕　追緝　追趕　陸辭　追趕

ᠮᠠᠨᠵᡠ 丈出

滋生銀

循環冊

轉補

調用

起出

尋隙

彩棺

溢價銀

外賑銀

盈餘銀

長徵

浮冒

优芳

浮多

遠支

倒斃

丈增

関隘

混戰　鏖戰

窮釣精光

節拿

懿旨

降俸

俸深

陳俸

副俸

停俸　住俸

没有代替

祖奠

多餘　太过

孫生

紅帶子

硃劍

硃批

紅頭牌

下埠

関稅

ᠰᡳᠮᡨᠣᠨ 戳袋

ᠪᠠᡥᠠᠪᡠᠮᠪᡳ 創獲

ᠨᠣᡥᠣ 虧空

ᠪᡳᠪᡠᡥᡝ ᠮᡝᠨᡤᡤᡠᠨ 、 存剩銀

ᠪᠠᡳᠯᠠᠮᠪᡳ 包賠

ᠪᠠᠯᡳᠮᠪᡳ 包攬

ᠪᠠᠯᡳᠮᠪᡳ 抱告

ᠪᠠᠯᡳᠮᠪᡳ 代徵

ᠪᡠᡨᠠᠮᠪᡳ 墾荒

ᠪᡠᡨᠠᠮᠪᡳ 包荒

ᠠᠰᡩᠠᠮᠪᡳ 未完

ᠠᠰᡩᠠᠮᠪᡳ 非刑

ᠠᠰᡩᠠᠮᠪᡳ 參罰

ᠠᠰᡩᠠᠮᠪᡳ 參革

ᠠᠰᡩᠠᠮᠪᡳ 參奏露章

ᠠᠰᡩᠠᠮᠪᡳ 陞用

ᠠᠰᡩᠠᠮᠪᡳ 晉封

ᠠᠰᡩᠠᠮᠪᡳ 臁

奏稿

傳陞

晉封

題用

繁法

繁祀

繁文

劉滅

塗棺

劃題

奏催

本報

題留

奏補

題補

本腰

本題本

本單

奏片

擬罪

處分　治罪

議處　審事

提說

罪

尊諭

徵號

升職　進本

奏摺

工竣

動工

輕浮

活援

徒罪

盜犯

犯人

贖罪銀

謝罪

二稿　一九七九·九·十

222

摺奏成語

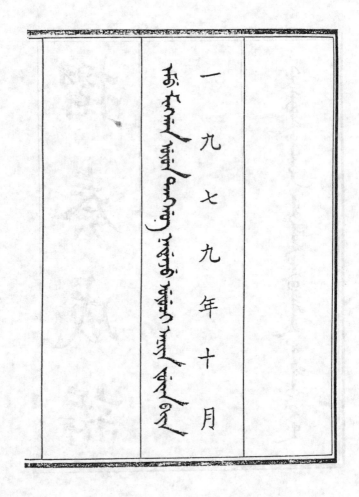

一九七九年十月

理合摟詳題叅

復詳題叅

相去不遠

不甚有礙

奴才一介庸愚蒙古世僕

以遂奴才犬馬微悦

元旦令節

年復一年

通閏計算

任日期事

為業報微豆到

搭放兵米

皇為調濟

謀合容止

皇為調濟

往返日期

或至吾之處

承辦姓錯

為呈報事

効久情長　信守攸関

常服掛珠

協肖錢糧

絶不敢視為具文

斷不可誤

決不姑貸

因循廢弛

以圖滅口

如有負対之處

形同木偶

隱匿圖像

許多（哪些）財物

何利之有

局騙拐騙

多方招撫

單併發

責任綦重

設法緝賦

226

目後事宜　　堪膺此任

大化翱浩　　隱忝之咎

事關鉅興　　黨惡互証

召見大臣　　劣蹟昭彰

　　　　　　望關叩首

臣等伏息　　背主投誠

臣等伏查　　惟其離主

花紅柳綠　　一旦完結

控造俚歌　　強奪妻女占

遠近異勢　　強行雞犬數

為此恃知

為此特交

為此知會

為此呈報

為此奏聞

為此謹奏。

為此謹呈

堪任此職

此房即屬官產仍在制辭取入官

用內務府嚴訊其奏等諸奏過

為此咨事

見法知懼

諸福咸臻

諸物廢弛

百廢俱興

侵欺挪移

拐帶不明

呼應不靈

228

勤令開礦

才力不及

才情敏練

才堪肆應

才守堪委

才守兼優

才識淺陋

才情庸懦

才具勤明

用膳辦事

妄生議異

隔省關提

曉聽聖訓

恭請聖安

裨補闕漏

永是賴焉

恩圖永好

禁止屠宰

休養生息

勤勞休戚

一鼓作氣

業經具疏

已完事件

曾同奏稱

逐一分斷

互相報復、兩敗俱傷

遷延陳訴

遷誤之咎

隨到隨繕

亦無掣肘

是否之處

僵息自胛

倒填日期

夙夜憂慮

日復一日

日積月累

誕辰日期

本日奉旨

另繕清單

同惡相濟、

酬酢往来

分別議處

按次辨理

調度乖方

丕辨事件

置有產業

為傳止事

賄賂公行

三等平職

踏踐用禾

合併附陳

貴心任事

陽奉陰違

粉華靡麗之司

不可忽略

浮躁淺露

疎忽之咎

飛兎駂驥書

可否之處

行誼善民

貪贓壞法

聽許財物

為賄行事

幾年無過

買物栽贓

花費困苦

株連受累

地丁錢糧

為奏銷地丁錢糧事

薦舉無方

老成練達

避重就輕

重懲不貸

從重懲辦

並無違礙

並無浮冒

並無過迤

並無凌虐

坐贓治罪

232

偏任喜怒

通目睌放

顛倒是非

調習試驗

忌辰日期

管操官員

訓練類勤

歷練之才

挽首自招

一等稱職

遂謀殺夫

虛張聲勢

虛誕涉言

傳布訛言

視為具文

虛數開報

為曉諭事

勸諭招徠

漸有起色

日甚一日

233

ᠮᠠᠨᠵᡠ

追悔前非

現在等辦

現銀採買

現在出差

精詳慎重

開列細数

奉裁改調

熟諳地理

如此辦理

人力難爭

人民流離

人地相宜

每人応得

親老告近

図結送部

図病告休

招集流移

培薄増軍

為先行事

監守自盜

借端生事

酗酒恣性

為添行事

補充行文

為補行事

因人運累

被人感過

剛柔緩急

弓馬嫻熟

過旁乞養

帶領引見

牽其引見

斷領是實

為領取事

收藏隱匿財物

管轄嚴肅

管轄不严

235

火速辦理　　包攬詞訟

擅句屬員　　望闕謝恩

趕緊辦理　　有玷官箴

為條陳事　　革職留任

分款攤舘　　委員暫署

條分縷析　　遣官行礼

逐款詳查一　降職一級

乖謬拘滯　　開摺呈詳前來。

才技優長　　為發結文憑事

災祥禍福　　居官清愼

善騙營伍

諂練營伍

歸攏守刺

廢弛營伍

事出不測

奪情起復

情屬一體

失衆昌獲

仍食半俸

依勢欺凌

朋比協謀

誕幻無稽之談

引眾逃走

留心体訪

授意分肥

悉心酬酢

任意遲緩

任意饕餮

利慾薰心

賦勢不歛　　橫行嚇詐

盜無實據　　橫征私派

養賊過半　　懇恩賞收

通盜挂來　　儘收儘解

急速辦理　　怠慢誤事

免力勸賑　　剛愎性成

需力稽察　　熟習溷土

需夫孔亟

招婚養老　　混認瞞贜

銷隊族檔　　朦朧保舉

好事舞戈

辦事制手肘

辦事誠謹

辦事明白

事明冤雪

作事謀始

拜壽行賀

大驅獵獸

支理痰搭

瘁十支之谷

失於核點

失於鹽菜

查照辦理

為查行事

共兌營幹

奏請陞用

緣事出境

動事無法

高下其手

趨事勤劬

為咨送事　　　謹身節用

不務生理　　　自行檢舉

有徵無解　　　自首免罪

收支全完各數目　痛自愧悔

伏乞敕部議覆施行　自認不諱

伏乞睿鑒　　　自理贖銀

報恩於萬一　　切膚之冤

伏乞皇上虛鑒施行　自己淨身

率多浮費　　　身体力行

查奏內稱　　　夫誣告有反坐之罪

240

懇乞留養　　　　　　　　　　　　　　為咨惟事

存留抵還　　　　　　　　　　　　分殺漲溢

畫野分州任生作負　　　　　　呈請終養

債深累重　　　　　　　　　　　具呈告退

錢債本利　　　　　　　　　　　勒限造文

為究查失察事　　　　　　　勒限義緝

不能自存　　　　　　　　　　　批減月糧

鞠期盡斃死而後已　　　　通行則倒

其陷圖圄　　　　　　　　　　　失於撫義

甘隸戎行　　　　　　　　　　　有無之處

241

阴谋肆毒

清慎勤谨

题报在案

咨报备核

抄没家产

家产尽绝

变产赔补

户口清册

谋勇兼优

征解正杂各钱粮

好恶取携

兴贤育才

知而不举

为知照事

把持诈害

不辟嫌怨

出具甘结

杂项钱粮

阖营疏忽

罢软无能

疎岔異形　青年長技

抄行事件

致滋貽誤

市好沽名

循聲素著

激變良民

良賤相毆

為荐舉事

詐為瑞应

防備不嚴

不覺失閃

欽此欽遵

等目前來

等因鈔出

等因支付

等因呈准

等因奏准

年老力衰

年力富强

驅勉急公

假公濟私

抗誤公事　山指拼搨

隱匿欺蒙

不可遲誤　不可推諉

閭節丁憂　猶繼就擒

頒行法律　仍俟秋後

為傳知事　先公後私

血脈相通　因公出境

起於細微　因公科斂

警備嚴密　辦公奮勉

為請假事

彙總辦理

暑節緻用

原品休致

原官致仕

鈐用堂印

太平有象

農商積資

遣反教役

訓示遵行

籍沒入官，抄沒入官

一併咨送

酗酒撒潑

翱芳就逸

誣陷無辜

駙斬不枉

波及無辜

深仁厚澤

245

遵行日久

發回原籍

摘孫承重

衣馬變價

原估工料

抵還原款

搢本逐末

左請開復

照舊供職

對品調用

叮嚀告誡

問日嚴催

覆核無異

復戰無異

復行核實

為覆奏事

为覆奏事

面奏

出具甘語

承順奉迎

246

ᠮᠠᠨᠵᡠ 常川帶俸

ᠮᠠᠨᠵᡠ 常川看守

ᠮᠠᠨᠵᡠ 果敢勇往

ᠮᠠᠨᠵᡠ 素無嫌隙

ᠮᠠᠨᠵᡠ 必求進歇

ᠮᠠᠨᠵᡠ 修過境工

ᠮᠠᠨᠵᡠ 指稱修理

ᠮᠠᠨᠵᡠ 改正駁回

ᠮᠠᠨᠵᡠ 從優議敍

ᠮᠠᠨᠵᡠ 越訟加等

ᠮᠠᠨᠵᡠ 著回原籍

ᠮᠠᠨᠵᡠ 方昭慎重

ᠮᠠᠨᠵᡠ 方准開復

ᠮᠠᠨᠵᡠ 立即咨送

ᠮᠠᠨᠵᡠ 興買稅契

ᠮᠠᠨᠵᡠ 塩引無欠

ᠮᠠᠨᠵᡠ 無干者釋

ᠮᠠᠨᠵᡠ 注鎖開復

ᠮᠠᠨᠵᡠ 隨長隨消

247

起解置用

阿狗不公

体面兼明

面奉謝旨

比照某例

深仁厚澤

熟習諳練

堅恃不移

惰分供職

惰分守禮

額征鹽課錢糧

盡數按名

照數收訖

數目名册

寢不安席

尊卑貴賤

御筆勾除

恭候欽定

為欽奉上諭事

難可逆料

礼讓之美

描模印信

印篆模糊

礼節往來

餽送礼物

道德仁義

遵照定例

混淆曲直

矢公矢慎

為奏聞事

貪婪不謹

挾贓治罪

臟变銀兩

寅緣作弊

暗邀人心

內損吐血

致養於內

頒行中外

內閣鈔出

驗收試馬

沈守相助　　　　因姦致殺

調盡醫馬之功

正途出身

藏匿送到臣　　　回柱清冊

奉委公出　　　　起認贓物

御門辦事　　　　參酌情法

萬壽聖節　　　　準情度理

解任回籍　　　　情實堪憫

解任回籍　　　　相度情形

到任日期　　　　長至令節

250

奢儉質文

避難就易

清漢各冊

毫無顧忌

不遺餘力

管見恭陳

息上加息

才堪盤錯

繁文縟節

甲訴冤枉

水面探量

東水歸漕

心力俱瘁

千秋亮節

册本経書

交各該處

不可遺漏

遺錯過失

海氣未靖

严行申飭

提督单务

私行吊打

不可擅离

情愿抵偿

该处呈文

侵盗钱粮

扣减钱粮

钱粮可靠

粗碎恶米

严加议处

严缉无踪

为严传事

严格查禁

严查参究

一减无馀

诚哀矜排间之重意

特申训诫

责成之法

严加议处

満文（手写体縦書き）

不可喧嘩　　二等勛職

保荐卓異　　約束不嚴

保表出征旷領外　　睥眈小岔

飛報軍情　　擺隊奸凶

立有戰功　　壽考作人

軍需孔亟　　感世誣泯

軍机重務　　此反世世

煉習技勇　　適才奉言

訓練士卒　　採買物料

低價買物

253

開張賑房

滋弊舞文

巡撫××等地

降級留任

降四調分

減等發落

惜品調用

貪不甘昧

通融撥給

通融辦理

改自傷殘

訓練相習

不辭勞率

安樂憂患

好逸惡勞

親臨上司

扣留正項

正項錢糧

將軍有守城之責 贊辦有剿匪之任

冰消霧釋

前車之鑒

揶前補後

作踐街道

慢佑街道

沿街賣和

荏苒病改

中途逗留

沿途着護

怨聲載道

支部議罪

支部議敘

交部察議

交部議敘

牙送部科

隨漕支放

頂衝運日

隨議其奏

兩議俱傷

兩耳重聽

伏秋水發

遵行辦理

步履惟難

素隔不謹

素行不謹

行止有虧

行止不端

行止端方

部覆與例不符。

奉部編給

賣緣通賄

名實緣俸進

對酌辦理

孜其實則非矣

實有裨益

俱著據實供武

在署遵照奏定章程

因緣骨破

豈不美哉

豈不休哉

為沿行事

256

指名參奏

千名犯義

千名犯義

聯名塘報

冒名代替

謝恩替用

狥瞞微樣

卷本正学

惧惟寬免

慎穿素服

精明強幹

明白辦理

明白迴奏

清冊頌狀

彙造清冊

造具清冊

詐冒挂名

設立名色

衔名履歷

257

嚴徹諸單

變答衙門

各處衣得

霜凍斬摺

剝削刻苦

侵欺捐贏

蟒袍補褂

由京起程

均難辭咎

肯在是歲

王命旗牌

敬部案件

為請旨事

請旨簡放

恭下之日

遵旨議奏

奉旨降用

為遵旨委鞘錢糧事

洽於兆民

密切從事

挨饑拿送

相查駁回

理合題報

骨相可觀

棄毀死屍

蕩炭碨蓋

本阿積薑

疎縱脫逃

抛撒死屍

依議欽此

怠玩迂緩

為議奏事

頓情偷安

言語傲慢

欽領關防反王銜旗纛等項

挨妓賭博

失於覺察

恭呈御覽

謹具題知

為謹奏事

功懂補過

為移咨事

宛轉好号

為恭陳事

田驛博遮

咨併聲明

安議具奏

睚眦小失

竟監免議

恭設香案

清甦辦理

理冗頓重

遵奉施行

相迻搭詳具題補奏

教備御用

260

為裁行事

奮勇登山

陳挑廢米

出陳易新

不禁自絕

迷失子女

觀律懷刑

不准撤銷

玩法詐贓

非法行事

陛辭赴任

致干法紀

巧為鉆營

支結朋党

離具歸宗

牙析進報前來

賞食半俸

磔罪凌遲

行俸開缺　　　　請上尊號

敦本務實　　　　未完事件

務本力用　　　　無級可降

等牧倒斃死　　　彈事不實

　　　　　　　　相互具摺群參等因前來

漫不經心　　　　為參奏事

取府廿縣印結　　為調補事

為調補事　　　　紅批照舊

徹底清算　　　　定鼎以來

徹底清整董　　　停俸養病

262

附過還職

規避處分

事犯緣由

情罪略節

犯罪待對

戴罪徵收在案

戴罪徵收

戴罪徵收

戴罪圖功

停其塑轉

為詳明縣令之虧空等事

從風慕義

輕浮暴奕

工賈相讓

索引檢字表

一　畫

一 乙　　　　　　　　　　　　　　　　　　　　　　　1

二　畫

二 十 人 入 八　　　　　　　　　　　　　　　　　　　1

九 丁 刀 刁　　　　　　　　　　　　　　　　　　　　2

三　畫

三 凡 士 夕 七 上 下 大　　　　　　　　　　　　　　2

大 小 巳 丈 乞 子 口 千 土 弓　　　　　　　　　　　3

弓 工 山 干 才　　　　　　　　　　　　　　　　　　4

四　畫

切 孔 互 反 仇 介 匹 午 升 今 戈 井 什 斗 屯 牙 夫 厄 比 引 仍

　　扎 凶　　　　　　　　　　　　　　　　　　　　4

凶 仁 勾 巴 手 元 支 牛 六 水 木 心 欠 日 少 王 戶 月

月 五 火 公 方 分 天　　　　　　　　　　　　　　6

天 文 中 太　　　　　　　　　　　　　　　　　　　7

太 內 不　　　　　　　　　　　　　　　　　　　　8

五　畫

失 代 甘 付 申 禾 卯 叩 去 皮 瓦 央 囚 另 巧 叮 占 可 半 弘 田

　　扎 奴 幼 玉 石 古 召 令 冬　　　　　　　　　9

冬 巨 功 市 布 尼 犯 充 甲 用 由 未 包 民 以 生 冊 白

白 加 四 世 立 左 右 失 打　　　　　　　　　　11

北外主出平司   12

司永本正   13

六　畫

妃羽風汎   13

衣匠兆列朱阡圭冰夷戍托仰共伙丟朽件亦伊死曳

伃此臣百旨血肉在次妄好州光奸朴扣寺伺名   14

名多休找全存再吃至老年回刑有如吉吏任伏   15

伏地收江因印同合各   16

各考交自先守安   17

安行西   18

七　畫

辛局村灸束皂迂妓巫忌含妥伸見岔均那利告串壯

杖材   18

言汪伴甬里伺住每低妖走佑初冶弟沈角邪佃杞求

佈技伯兌尾呈抗助冷君佛延何序夾作防   19

防身車改良私批佐成決更杜沙折沒志把抄   20

抄形兵巡貝投足步坐孝   21

八　畫

邸奔房孤具拋   21

抽狎帖肓泮表果服効玩倂披抱芽沽垂彼況易佩泠

秀舍宛爭咀松刻狀夜底乖咎爸卓波妾奇昆岫庖

拉門朋拒居店所押雨刺刷抵非虎   22

糾卓昔命怪宜府青拐昌拖始空京忠法金到往油直

使花治   23

治 注 附 牧 依 招 來 取 征 定 沿 雨 阿 放 呼 委　　24

委 祈 受 並 和 供 回 河 尚 明　　25

知 侍 事 承 宗 長　　26

長 協 典 官 武 東　　27

東 來　　28

九　　畫

怨 客 恰 洽 咸 祝 洄 帝 述 架 要 苑 胥 枷 香 英 頁 玻 穿 陋 柏　　28

洗 候 剋 胞 洙 政 庫 珍 泉 撈 卻 毡 厚 幽 叛 砍 約 怎 食 背 苞

省 郊 狠 胡 恢 洋 郵 屏 面 苦 計 勉 契 衍 柔 草 狗 思 待 盈

冠 則 勇 亮 沽 流 恆 俊 品 紀　　29

紀 俗 庋 律 故 限 姦 迪 祖 咨 急 冒 怠 星 挑 封 界 祠 貞 按 建

拜 是 卽 指 施　　30

施 威 科 宣 風 俄 秋 看 春 哈 致 首 紅 信　　31

保 降 查 昭 重 後 侵 神 南　　32

南 相 恨 奏 軍 皇　　33

皇 前 為　　34

為　　35

十　　畫

哲 豈 宰 索 狼 朔 辱 氣 破 陣 剜 殉 挈 郞 逃 益 草 冤 射 換 挫

員 徒 浴 挺 納 鬥 凌 挽 准 息 乘 脂 班 殷 恐 埋 珠 訐 容 捏

祥 虔 送 展 圄 旁 株 真 扃 迷 院 哪 馳 拿 剝 酒 振 倒 兼　　35

兼 准 唐 挾 師 校 浙 特 紛 骨 晉 烈 消 租 病 俸 索 挪 酌 記

料 俱 陞 桃 夏 捕 海 財　　36

財 陝 烏 哨 除 貢 素 捐 浮 值 家 城 候 借 被 陛 茶 時　　37

新 編 清 語 摘 抄

索 引

一 畫

一千錢	136
一弔錢	135
一弔錢	136
一件件	140
一百畝	136
一次	135
一行一動	135
一串	136
一併咨送	245
一品夫人	86
一洩無餘	252
一個漢子地	136
一站路程	136
一畝	135
一宿	136
一連	135
一貫	136
一帶地方	135
一頃地	136
一等稱職	233

一鼓作氣	230
一齊	179
一遭	135
一應物件	127
一繩	135
一日地	135
一日完結	227
一則	135
一則	135
一統志	150
一統志館	8
一意直行	136
一意度日	136
乙	154

二 畫

二十四節氣	145
二甲喇	42
二品夫人	85
二等侍衞	108

二等勤職	253
十八房	32
人力難爭	234
人牙子	87
人民流離	234
人地相宜	234
人瑞	87
人勤勉行之	155
入伏	186
入院	169
入己	173
入己銀	173
入于計典年老	180
入于計典有疾	155
入于計典浮躁	146
入于計典罷軟	177
八分公	107
八法	205
八旗科	31
八旗現審處	31
八旗通志館	31

九叩	150	三品淑人	105	浮泛處之	157	
九門提督	9	三略	142	士	88	
九卿	86	三庫檔房	6	夕月壇	60	
九關臺邊門	64	三陵總理事務		七故	123	
九流	86	衙門	72	上元之際	161	
九流	150	三通館	6	上供	193	
丁內艱	135	三輔皇圖	142	上表	143	
丁册	203	三跪	142	上林苑監	26	
丁憂	182	三統歷	142	上朝	163	
刀扎	216	三綱	142	上陣不穿盔甲	156	
刀打	200	三禮館	6	上虞備用處	24	
力壯	168	三代	142	上駟院	24	
力強	168	三代世表	143	上駟院侍衞	80	
習姦	138	三等平職	231	上駟院卿	80	
		三等侍衞	83	上諭	193	
		三教	83	上諭	213	
三　畫		三教	142	下馬碑	134	
三甲喇	42	三旗參領處	6	下埽	219	
三伏	142	三旗織造庫	6	下程科	5	
三汊河	66	三姓	63	大士	114	
三希堂	54	三姓	74	大小各官	108	
三岔口	66	三姓副都統衙		大丈夫事業	160	
三法司	6	門	6	大方廣殿	55	
三事簡	158	凡事不明不實		大化翔冶	227	

大史	97	大饗	133	文出	218
大市街	50	大濟	132	丈增	218
大成門	50	大使	97	乞丐	113
大祝	80	大使廳	21	乞行	209
大軍倉	43	大宗	118	子弟	207
太官署	33	大宗嫡派	133	子將	195
大挑	132	大祭	133	子爵	109
大計	132	大祭前一連二		口角	205
大修	132	日祭	150	口許	129
大清門	52	大通橋衙門	27	口飄（松）	129
大凌河城	67	大通橋監督衙		口齒	129
大勝	133	門	22	千戶	105
大業	133	小抄	178	千里馬	93
大衙	132	小京官	94	千秋令節	251
大路完了	199	小凌河站	66	千總	105
大選	132	小修	178	土司	82
大概	132	小馬	105	土兵鄉勇	100
大徵	132	小庫房	45	土官科	3
大殺	133	小衙	127	土門江	63
大運	132	小濟	178	土城	64
大肆狷獗	231	小路	187	土著	100
大濟倉	43	小路	195	土蓍	191
大盈倉	43	已完	135	弓矢司	32
大擺牙喇	133	已完事件	230	弓胎	173

弓馬嫻熟 235
弓軟 173
弓硬 173
工司 39
工科 39
工房 39
工部 39
工竣 222
工賈相讓 263
山海關 66
山僻之處 202
山西清吏司 18
山西道 18
山東甲 20
山東科 20
山東清吏司 20
山東道 20
干戈 158
干戈 123
干名犯義 257
干名犯義 257
干證 95
干證 182
才力不及 229

才士 83
才技優長 236
才具勤明 229
才能 138
才識淺陋 229
才守堪委 229
才守兼優 229
才堪肆應 229
才堪盤錯 251
才情敏練 229
才情庸懦 229

四　畫

切膚之冤 240
孔目 91
互相報復兩敗
　俱傷 230
反覆尋求 159
仇板 214
介祉宮 54
匹夫 83
午門 53
升袟 222

今早 134
戈戟司 34
井田科 29
什麼事 127
斗級 113
屯田清吏司 4
牙帖 168
牙稅 168
夫匠科 13
夫証告有反坐
　之罪 240
厄魯特九人率
一部降給印封
　王貝勒進貢 131
厄魯特 34
比例 164
比照某例 248
引見 173
引誘逃走 273
仍食半俸 237
仍俟秋後 244
扎哈沁一旗 42
扎哈蘇城 64
凶犯 137

凶年	161	六藝	156	日復一日	230
仁德	165	六韜三略	156	日華樓	54
仁壽寺	60	水手	97	少保	96
勾引	210	水面探量	251	少卿	84
勾到	167	水利廳	29	少傅	96
巴爾虎	75	水腳役	110	少師	114
巴延戎格營	14	木牌	202	少師	96
巴延鄂佛囉邊	65	木查河	69	王	118
手本	124	木匠	106	王貝勒佐領	42
手摺	127	木倉	47	王命旗牌	213
手快		木倉科	28	王命旗牌	258
元老大臣之稱		心力俱瘁	251	王府佐領	101
呼	93	心高	167	王府科	38
元旦	123	心慌意亂	167	王府長史	116
元旦令節	225	心紅銀	203	戶司	16
支料	16	心跳	155	戶科	16
支銷銀	178	欠撥銀	134	戶房	16
支銷	171	欠項	134	戶部	16
牛羊羣牧處	6	欠領	134	戶檔	176
牛馬稅務監督		欠缺	134	戶口清册	242
衙門	6	欠缺	145	戶口	176
牛莊	63	日甚一日	233	月大	174
六合	156	日後事宜	227	月小	174
六品安人	87	日積月累	230	月牙城	65

277

月初頭	175	火居道士	111	方昭愼重	247
月朗	175	火烤	199	方圓	166
月食	175	火旁	17	方略	176
月盡頭	174	火器營衙門	27	方略館	16
月將盡	174	火器營	27	方澤壇祀袋署	27
月官處	15	公	115	方澤	69
月官房	15	公文	132	分司	24
五甲喇	41	公平	194	分析造報前來	261
五品宜人	84	公田	131	分別議處	231
五府科	20	公費	132	分肥	193
五官正	97	公項	132	分送部科	255
五行	185	公中佐領	41	分款攤賠	236
五穀	185	公中佐領	95	分登	193
五代奴僕家人	97	公用	132	分管	42
五代奴僕	185	公用銀	132	分穀漲溢	241
五常	165	公差去口外所		分翼	154
五常	185	帶吃的及牲		分發	193
火速辦理	236	口等東西	143	分類	160
火藥庫	47	公差	17	分辯官	101
火械	194	方士	116	分離	193
火牌	169	方伯	11	天下	131
火葬	244	方言	169	天柱山	63
火耗銀	137	方祭	130	天安門	50
火神廟	61	方准開復	247	天佑門	50

278

天亮	131	文華殿	56	中憲大夫	103
天暗	131	文津閣	56	中牆	128
天神壇	59	文臣	93	中間人	15
天涯	131	文臣	175	中間人	192
天討	131	文官	93	中書	102
天壇	59	文官	175	中書科	11
天性	180	中左門	52	中書科	37
天性	192	中右門	53	中城	27
天文生	85	中允	112	中城兵馬司	27
天文地理	131	中正殿念經處	33	中城察院	27
天文科	4	中伙處	8	太保	98
文生員	93	中保人	95	太常寺	39
文秀才	93	中江稅務監督		太極	133
文法坊	15	衙門	33	太廟	61
文林郎	103	中和殿	57	太學	36
文約	176	中官正	104	太傅	98
文廟	62	中祀	200	太僕寺	3
文穎館	20	中所	27	太蘭山	67
文諵科	15	中秋	175	太和門	50
文選清吏司	15	中軍	117	太和殿	54
文源閣	56	中等人家	123	太過	205
文淵閣	56	中修	174	太過	219
文學武略	175	中途逗留	255	太師	93
文瀾閣	56	中議大夫	102	太師	114

太歲殿	56	內管領	94	食口糧人	96	
太歲壇	61	內庫	47	內務府總管衙		
太監淨身	173	內謀略	197	門	16	
太監	99	內應	197	不中用	171	
太平倉	43	內損吐血	249	不合人	144	
太平寺	61	內餑餑房	26	不足信	130	
太平有象	245	內關防衙門	26	不肖	200	
太醫院	7	內簾監視官	102	不甚有礙	225	
太醫院院使	85	內翻書房	26	不疚	143	
太醫院院判	85	內膳房	26	不減	138	
太子太保	98	內駕庫	47	不亞	138	
太子少傅	99	內堂房	26	不便	143	
太子河	67	內堂	26	不順	143	
太子少師	99	內倉	47	不會	143	
太子少保	99	內倉監督衙門	26	不懂	143	
太子太傅	98	內閣	26	不通	148	
太子太師	98	內閣鈔出	249	不勢鬧	133	
內大臣	102	內閣漢本堂	9	不辭勞瘁	254	
內工部	17	內務府三旗	41	不覺失因	243	
內陞	197	內務府三旗驍		不禁自絶	261	
內刑部	16	騎營	16	不准抵銷	261	
內考科	26	內務府三旗護		不遺餘力	251	
內府佐領	41	軍營	16	不辦	145	
內冶門	52	內務府管領下		不應去之處去		

ʒ	164	矢公矢慎	249	弘仁寺	60
不避嫌怨	242	代徵	220	弘義閣	58
不職	197	甘結	178	田界	147
不務生理	240	付咨	216	田獵	123
不入八分輔國公		申訴冤枉	251	札喀關	71
公	107	禾被雹打	176	札庫木	75
不入八分鎮國		卯簿	138	奴才	160
公	107	叩頭作揖行大		奴才一介庸愚	
不得已	134	禮	195	蒙古世僕	225
不得頭向	144	去年	200	幼丁	95
不能自白	241	皮庫	48	幼官學	19
不能動搖	149	瓦匠	118	玉牒	163
不相干	191	央浼營幹	239	玉牒館	12
不相上下	135	囚車	177	石工	118
不相稱	191	另繕清單	230	石門嶺	66
不可忽略	231	巧為鑽營	261	古代	208
不可喧嘩	253	叮嚀告誡	246	古北口	69
不可推諉	244	占	76	召見	169
不可遲誤	244	占堆	206	召見大臣	227
不可遺漏	251	可否之處	231	令牌	192
不可擅離	252	可矜	165	令躲避	169
		可疑	165	令挪空	169
		半托長	136	令箭	192
五　畫		半夜	195	冬至	194

281

冬官正　104
冬狩　166
巨盈庫　43
巨流河　69
巨流河站　70
功僅補過　260
功臣館　36
功臣　115
市　168
市阱　168
市好沽名　243
市價　168
布政使　99
布爾圖庫遺　65
布爾噶圖城　65
尼山書院　9
尼布楚城　71
尼僧　116
犯人　222
犯罪待對　263
犯思量　137
充軍　204
充協　125
充警　212

甲　154
甲字庫　45
甲庫　45
用印　196
用膳辦事　229
用膳　133
由內務府嚴訊
　具奏等語奏
　過　228
由京起程　258
由他　175
由驛傳遞　260
未比上壯丁之
　人　95
未老先衰　180
未完事件　262
未完　220
包荒　220
包賠　220
包攬　220
包攬詞訟　236
民生　144
民字號　144
民科　7

民害　144
以求進取　247
以此　137
以前　191
以怪誕惑人之
　罪　177
以圖滅口　226
以遂奴才犬馬
　微忱　225
生父　172
生手　143
生員　97
生息銀　200
生靈　139
生事　171
生事端　190
冊　131
冊本經書　251
冊庫　48
冊封　131
冊頁　131
冊寶之冊　131
冊誥之冊　131
白平山　67

白長	67	世管佐領	42	右安門	51
白契	203	世襲官	96	右春坊	6
白馬關	66	世襲	107	右軍	31
白龍潭	67	立有戰功	253	右軍	108
白旗司	20	立決	152	右翼	42
白旗甲	20	立秋	176	右翼門	53
加銜	162	立吉雅河	68	失火	198
加恩	211	立卽咨送	247	失指望	147
加幫	190	立春	156	失主	198
加耗銀	137	立契	176	失主	103
加封	156	立發河	68	失於覺察	259
加級	206	左安門	51	失於撫義	241
加息	200	左司	11	失於盤察	234
四下亂放	170	左所	12	失於檢點	239
四分五裂	160	左都御史	80	失察冒領	237
四甲喇	41	左春坊	12	失察	171
四品蔭人	112	左袒	163	打千兒	174
四夷科	27	左軍	100	打架	172
四譯館	26	左道	160	打到	141
四柱清册	250	左道	88	打更	215
世子	97	左翼門	52	打鹿人	85
世世	203	左翼	41	打牽	188
世臣	118	右司	6	打牲烏拉城	65
世管佐領	107	右所	6	打牲烏拉總管	

衙門	18	主客清吏司	4	平頂山	65
北郊	125	主事	83	平餘銀	191
北新倉	43	主敬殿	58	平通	129
北鞍庫	43	主謀	190	平昔	180
北廳	3	主簿知縣衙門	23	平素	180
北鎮廟	59	主簿	100	平則門	50
北漕科	3	主簿廳	23	平緩	153
北城兵馬司	3	出力	168	平難	153
北城察院	3	出考語	189	司木	106
外抄	148	出首	212	司空	119
外官科	26	出差	187	司匠	116
外委	81	出榜	199	司器	101
外派銀	218	出語	194	司庫	85
外消秋審	198	出缺	145	司晨	83
外考科	27	出續	214	司儀長	93
外堂房	27	出納	178	司經局	10
外駕庫	47	出陳易新	261	司幄會	98
外膳房	27	出具甘結	242	司會	81
外饌餚房	27	出具考語	246	司業	84
外轉	198	主子	83	司案科	23
外解科	26	主保	87	司樂	114
外簾監試官	103	平生	172	司鑰長	79
主使	187	平阜	153	司書	83
主管	87	平定	153	司書廳	5
				司務	98

司務廳	21	本日奉旨	230	正卿	80
司獄	119	本末	188	正途出身	250
司獄廳	39	本地	191	正稅	206
永光寺	59	本科	17	正善堂	56
永阜倉	44	本報	221	正義堂	58
永敬倉	44	本腰	221	正月	123
永是賴焉	229	本單	221	正月十六日	154
永陵	72	本義	188	正本科	32
永積倉	44	本紀	188	正本	206
永寧倉	44	本裕倉	40	正直	195
永盈庫	44	本色銀	188	正直處之	203
永豐倉	44	本房	38	正身	206
永福宮	54	本房	17	正身	168
永安寺	59	正一	87	正項錢糧	254
永安倉	44	正午	141	正項	206
永濟庫	44	正科	117	正陽門	52
永濟倉	44	正好	195	正陽橋	52
永定河	63	正是	195		
永定門	50	正法	217		
永定河神廟	59	正字	111	六　畫	
本	141	正考官	80	妃	119
本	221	正術	117	羽翼	166
本仁殿	55	正賦錢糧	132	夙夜憂慮	230
本可積蓄	259	正陪	204	汎守相助	250

衣庫	44	
匠科	37	
兆嘉	76	
列款項	160	
汕損坍塌	244	
朱顯達	109	
阡陌	149	
圭表	138	
冰消霧失	255	
夷族	202	
戌守兵	123	
托謨和	75	
仰俯	146	
共	179	
伙伴	88	
丟臉	193	
朽木	144	
件件的	215	
亦無捏喪	230	
伊通榜爾蘇	63	
死戰	177	
曳白	209	
仵作	117	
此房卽屬官產	

仍應挐取入		
官	228	
此會	154	
臣等伏查	227	
臣等伏思	227	
百戶	99	
百廢俱興	228	
旨	213	
旨意科	34	
血流	18	
血脈相通	244	
肉房	33	
肉綻骨破	256	
在署遵照奏定	
章程	256	
在途病故	255	
次序	206	
次鄉	96	
妄生議異	229	
妄言胡說	170	
妄捏撼拾	239	
好事舞文	239	
好惡取捨	242	
好逸惡勞	254	

州同	108	
州史	108	
州判	108	
光恆街	51	
光祿寺	18	
光祿大夫	102	
奸宄	205	
奸細	90	
奸雄	108	
劣員	136	
劣蹟昭彰	227	
劣蹟	136	
扣留正項	254	
扣減錢糧	252	
扣減月糧	241	
寺副	117	
寺丞	117	
寺丞廳	19	
向上沖出	157	
向有餘糧處就	
食廢命	130	
向來	190	
名單	211	
名望	211	

286

名宦	111	至今	191	有無	174
名譽	211	至公堂	57	有無之處	241
多方招撫	226	至義	84	如有賀對之處	226
多餘	219	至靈	107	如此辦理	234
多羅貝勒	102	老了	180	如京倉	43
休養生息	229	老病	180	如意館	9
休致	161	老成練達	232	如傷	154
休致大臣	100	老稅	194	吉林	70
找兑	156	年力富強	243	吉林崖	70
找給	156	年老力衰	243	吉雅拉庫河	70
找給銀	156	年陳	123	吉雅拉庫山	70
全體	210	年復一年	225	吉雅哈河	70
全然不曉	148	回子佐領	41	吏目	84
全然無妨	149	回空	151	吏部	11
存剩銀	220	回投	157	吏科	11
存留抵還	241	回交	125	吏房	11
存留銀	174	刑司	14	吏典	118
再從兄弟	132	刑法	138	任所	197
再期	205	刑辟	149	任俠之士	116
再添些	133	刑房	14	任意	107
吃得重擔之馬	149	刑科	14	任意遲緩	237
吃虧	146	有年紀了	180	任意饕餐	237
吃虧	164	有玷官箴	236	伏敍	189
吃虧	164	有徵無解	240	伏秋水發	255

伏乞	191	江南江西甲	35	同寅	212
伏乞皇上睿鑒		江南道	35	同惡相濟	231
施行	240	江南清吏司	35	同歲	200
伏乞勅部議覆		江南甲	35	合式號	125
施行	240	因人連累	235	合同	126
伏乞睿鑒	240	因姦致殺	250	合巹	126
地丁錢糧	232	因為	172	合例	164
地安門	51	因病告休	234	合夥做買賣	136
地祇壇	59	因循廢弛	226	合攬	158
地壇	60	因公科歛	244	合龍門	184
地載門	51	因公出境	244	合併聲明	260
地藏寺	60	印	195	合併附陳	231
收生婆	103	印篆模糊	249	各部落類	74
收支全完各數		印管處	25	各門名	50
目	240	印卷官	94	各件	160
收卷官	94	印結	196	各項	209
收發科	14	印綬	185	各樣	209
收藏隱匿財物	235	印信科	25	各樣	160
收繳	172	印信模糊	196	各種	160
收掌所	14	同考官	83	各樣	160
收掌官	92	同名	203	各處應得	258
江蘇清吏司	35	同居	136	各自	201
江西道	35	同年	135	各自	192
江西清吏司	35	同姓	184	各自各自	173

各自逃走	178	自行檢舉	240	先鋒使的小槍	152
考中	183	自縊	217	守本分	129
考功清吏司	28	自認不諱	240	守分	192
考成	202	自首免罪	240	守制	182
考其實則非矣	256	自理贖銀	240	守堡	101
考選	183	自盡	173	守素	129
考語	189	自然	141	守處及出兵用	
考滿	205	自隸戎行	241	五根籤編號	182
考職	198	自刎	141	守備	104
考試	203	自刎	202	守衛	190
考試官	96	先公後私	244	守吏	104
交代	207	先世	153	守吏尉	104
交付	127	先代	153	守訊兵	101
交盤	148	先是	191	守訊兵	192
交結朋黨	261	先年	153	安佑宮	54
交班	142	先前	180	安定門	50
交涨	144	先師孔子廟	60	安徽清吏司	4
交各衙門	258	先祖	154	安遠廟	60
交各該處	251	先蠶壇	60	安哨探	158
交部議罪	255	先醫廟	60	安營	168
交部察議	255	先農壇	60	安樂憂患	254
交部議敘	255	先生	92	安楚拉庫	74
自己淨身	240	先生	95	安舒	140
自此後	137	先鋒	88	安置	144

安達爾奇愛滿 74
安圖瓜爾佳 74
安台 188
安台站 215
行人司 21
行文 209
行走 209
行李 126
行多背逆 209
行取 158
行稿 209
行稅 168
行宮 56
行竈 153
行賄 148
行賄害民 232
行事走樣了 139
行事爽快 158
行止有虧 256
行止不端 256
行止端方 256
行止不端 209
行伍 205
西十庫 49

西文場 38
西日旗 42
西司 38
西長安門 53
西安門 53
西科 38
西便門 53
西直門 52
西華門 53
西洋 71
西房科 38
西關門 53
西梵國 74
西藏唐古特蒙
　古 76
西廂案房 38
西廂 38
西陵工部 73
西陵內務府總
　管衙門 73
西城兵馬司 38
西城同文志館 38
西城 38
西城察院 38

七　畫

辛苦 207
局騙拐騙 226
村奴才 159
災祥禍福 236
束水歸漕 251
皂隸 86
迂緩 217
妓女 113
巫人 95
忌辰日期 233
含糊了之 178
妥議具奏 260
伸縮 141
見法知懼 228
岔爭 206
均難辭咎 258
那樣 209
利慾薰心 237
告示 151
串票 144
壯丁 106
杖責 186
材料房 39

言語傲慢	259	祀丞	84	君	88
汪嘉	76	求賢科	18	君子	133
伴當	98	求籤	182	佛多和	76
甬路	200	佈告	181	佛納和	76
里老	116	佈告	217	延及世世	253
伺候王貝勒之		技軍兵	106	延壽寺	61
人	216	技勇營	28	何利之有	226
佳俸	219	伯	92	何處	127
每人應得	234	伯都納	65	何項	127
低價買物	253	伯都納副都統		序	28
妖瘋邪狂	141	衙門	14	序班	116
走遞夫	110	兌行	201	夾片	162
估計	179	兌留	169	夾攻	162
初祭	185	兌運	201	夾訊	215
冶人	113	尾欠	199	夾帶	162
弟子	207	尾幫	199	夾帶	207
沈重	149	呈子	124	作主	136
角門	51	呈請終養	241	作廠大使衙門	32
角樓	55	抗誤公事	244	作事謀始	239
邪術多之人	161	抗糧	202	作踐街道	255
邪學	201	助教	82	作謝	170
佃戶	147	助祭	189	防範	180
佃戶	85	冷口	66	防備不嚴	243
祀	156	冷淡	136	防禦	104

防守尉	105	私和	203	社稷壇	60
防守	180	私欲	178	沙提門	50
身陷圄圄	241	批本處	38	沙窩門	50
身體各部分相稱	173	批驗鹽引所	22	沙濟	67
身體不舒適	173	批迴	125	沙彌	92
身體力行	240	批迴	172	折色銀	179
車戶	95	批迴科	14	折給	179
車庫	46	佐領聚齊會商公所去處	10	折算	179
車夫	95	佐領	87	沒有代替	219
車夫	101	佐領會商公事處	156	沒擔當	179
車駕山	70	成招	194	沒奈何	134
車駕清吏司	28	成色銀	155	沒奈何	149
改正駁回	247	成色金	155	志	136
改兌	160	決口	181	志士	90
改補	160	決不姑貸	226	志意同向	135
改折	160	決斷辦理	200	志書館	5
改折銀	160	更	189	把持詐害	242
良心	180	更名	211	把這個奴才之意	131
良善	157	更夫	117	把總	92
良賤相毆	243	更夫	112	抄行事件	243
良醞署	10	社	159	抄近	195
私行弔打	252	社倉	45	抄沒入官	245
私自	141			抄沒家產	242

292

抄搶	146	貝勒	92	坐糧廳	109
抄搶	187	貝勒福晉	93	坐臺	21
形同木偶	226	投供	175	坐臺	188
形狀	128	投首	173	孝子	113
形容	128	投誠	189	孝女	113
形容性格端正	169	足夠了	135	孝婦	113
形容	169	足足的取拿	154	孝東陵	73
兵司	30	足足的給	155	孝東陵內關防	
兵部	30	步甲	110	衙門	73
兵科	30	步營司	33	孝東陵禮部	73
兵符	166	步履惟難	256	孝陵內關防衙	
兵房	30	步兵	209	門	73
兵馬司	31	步兵	110	孝陵總管衙門	73
兵備道	107	步軍參領	110	孝陵	73
巡狩	215	步軍統領	110	孝陵禮部	73
巡捕	112	步軍校	108		
巡檢	112	步軍校	110		
巡漕御史	109	步軍翼尉	110		
巡邏官	111	生扣	191	八　畫	
巡鹽司	22	生地虎	101	邸鈔	177
巡撫	112	生堆子	207	奔喪	182
巡撫××等地	254	坐辦堂郎中	98	房婢	97
貝子	92	坐贓治罪	232	孤注	135
貝子福晉	92	坐糧廳衙門	31	具呈告退	241
				拋撒死屍	259

293

抽裁	198	爭角	192	朋黨	216
狎暱微嫌	257	咀硬	129	拒敵	141
帖裁銀	128	松花江	66	拒捕	205
育嬰堂	37	刻字作	34	居士	97
沸橋	52	狀元	94	居官清慎	230
表記	143	夜祭北斗七星	125	店房	155
果敢勇往	247	底馬變價	246	店房	9
服闋	182	乖謬拘滯	236	所	36
効力筆貼式	82	咎徵	137	所領是實	235
玩法詐贓	261	爺鉞司	19	押解	189
併贓治罪	249	卓昊	204	押運	189
披甲	86	波及無辜	245	雨水太多地浸	
抱告	220	姜	124	壞了	172
芽茶科	29	奇臺縣	71	雨水	123
沾親	155	昆明湖	71	刺字	175
垂下之城	156	岫巖城	66	刺客	116
彼此混砍鏖戰	179	岫巖州	66	刷黃	169
況且	191	庖丁	110	刷書作	15
易銀	201	庖掌	110	抵還原款	246
佩印	196	拉弓	173	抵觸	141
泛輕	146	拉林	75	非刑	220
秀才	97	門子	83	非法行事	261
舍人	99	門單	199	虎	188
宛轉呼號	260	朋比協謀	237	虎鎗營	11

糾參科	14	拖欠銀	134	金科	29
糾黟	166	拖累	166	金銀等項庫	43
阜成門	50	拖累囷苦	232	金州—寧海	63
阜康縣	71	始末	193	金棺	221
昔	190	始祖	188	到處	170
昔年	153	始齡	137	到任日期	250
命下之日	258	空白	196	到任	197
命盡	139	空身	160	往外省去	165
怪言	158	空缺	137	往返日期	225
怪物	159	空隙	205	往返	124
宜祭	126	京官科	34	油面倉	45
宜祭	192	京察	212	油墨污	173
府尹	117	京城	33	油燒	155
府丞	117	京畿道	33	直豎著跪	165
府庫	45	忠良	194	直閣事	79
青年長技	243	忠恕	194	直隸清吏司	40
青色	154	忠臣	101	使人中間說事	205
青黃不接	154	忠信	194	使犬果落	74
拐騙	138	法言	164	使臣	83
拐帶不明	228	法度	217	花戶	105
拐帶	166	法度	217	花名冊	211
昌西陵	73	法輪寺	62	花紅柳綠	227
昌吉縣	66	法輪殿	55	治	189
昌陵	73	金字經館	3	治中	117

治儀正	116	來文	174	兩敗俱傷	255
注語	207	來文房	15	兩造	208
注銷處	23	取口供	205	兩議其奏	255
注銷科	19	取功名	212	阿布達里岡	63
注銷門復	247	取信息	201	阿拉善山厄魯	
附	124	取府州縣印結	262	特一族	41
附合	143	取報	157	阿斯楚喀	63
附運	158	征伐	199	阿狗不公	248
附過還職	263	征解正雜各錢		阿奇蘭	74
牧丁	80	糧	242	阿敦衙門	17
牧長	80	征夫	100	放任近身	173
牧副	105	征夫	190	放鷹	215
牧童	80	定而言之	182	放債	208
依著	172	定東陵	73	放債	174
依勢欺凌	237	定律	194	放圍	124
依議	214	定陵	73	放圍圍	166
依議欽此	259	定鼎以來	262	呼倫貝爾	76
招集流移	234	沿街賣和	255	呼葉	76
招婿養老	238	沿海	201	呼氣	139
招撫	140	沿邊	205	呼應不靈	238
招墾	140	沿途	207	呼爾哈	75
來月	206	沿途看護	255	呼蘭城	65
來年	144	兩卡接哨會哨	158	委吏	118
來往不斷走	188	兩耳重聽	255	委員暫署	236

委署主事　81
委散秩大臣　82
委牌　199
委護軍參領　82
祈雪　155
祈穀壇　62
祈年門　50
祈年殿　54
祈雨壇　59
祈雨　123
受賀　150
受納倉　46
受財　148
受事　171
受傷　146
受傷　164
並　179
並無　148
並無浮冒　232
並無遺礙　232
並無凌虐　232
並無過繼　232
和息　126
和誘　212

和姦　212
和聲署　28
和碩公主　89
和碩親王　89
和碩額駙　89
供奉官　93
供用官　98
供用庫　46
供給官　81
供給所　3
供事　106
供事官　91
固山貝子　90
固納喀庫倫　75
固關　63
固勒　76
固勒班　65
固倫公主　115
固倫額駙　114
河口　128
河防料　15
河泊所　15
河廳　15
河道總督　93

河工甲　15
河工　175
河南道　12
河南清吏司　13
尚未　151
尚早　151
尚且那樣何況
　　這樣　165
尚膳副　81
尚間崖　67
尚書　81
尚書房　24
尚茶正　106
尚茶副　82
尚茶副員　84
明火　143
明旌　140
明通　212
明遠樓　55
明君　212
明君　111
明白辦理　257
明白迴奏　257
明白寫下記著　164

297

知而不舉	242	事情上弄不來	171	宗族	151
知州	108	事關鉅典	227	宗婦	99
知府	117	事蹟	210	宗廟	61
知貢舉	96	事實	210	宗族	202
知觀	110	事情成了	166	宗人府	9
知縣	113	事務	171	宗人	79
知印	102	事主	91	宗人府侍郎	79
知印科	25	事主	171	宗學	9
知事	83	承差	97	宗學副管	84
知事	92	承座	184	宗學總管	109
侍候王貝勒之		承受家產	177	長白山	65
人	114	承發科	33	長行	165
侍監	97	承順奉迎	248	長至令節	150
侍衛飯房	35	承應人	81	長安街	51
侍衛處	35	承應掌	81	長計	165
侍衛班領	113	承辦	124	長短錢	154
侍衛什長	113	承辦舛錯	225	長隨	99
侍講	79	承德府	63	長解	186
侍講學士	79	承德縣	63	長徵	218
侍讀學士	79	承德郎	103	長寧寺	59
侍讀	79	宗子	100	長工	100
事出不測	237	宗正	96	長工	190
事犯緣由	263	宗令	80	長城	65
事明冤雪	239	宗室	86	長城	165

長輩	147	典籍廳	22	官學	4
協中齋	57	典稅	191	官學生	81
協和門	51	典樂	114	武士	107
協運	128	典簿	100	武大臣	107
協領	90	典簿廳	23	武德郎	90
協緝	127	典吏	92	武略郎	90
協應	128	典吏科	19	武顯大夫	89
協修官	82	典吏科	21	武庫清吏司	30
協解銀	128	官三倉	44	武諧科	30
協殿	128	官役	81	武翼大夫	89
協濟錢糧	226	官房租庫	43	武義大夫	89
協律郎	81	官帖	161	武選清吏司	30
協辦大學士	82	官犯	162	武綬	74
協理	127	官員	162	武爾古城	74
協撥	127	官差上行走	132	武功坊	57
協撥銀	128	官銜名目	79	武功大夫	89
典史	113	官階	162	武備院	37
典引	164	官儀	161	武備院卿	99
典科	108	官藏	161	武信郎	90
典買稅契	247	官爵	162	武信佐郎	90
典術	108	官銜	162	武英殿修書處	55
典儀	116	官字號	11	武英殿	55
典籍	100	官字號	161	東文場	24
典屬清吏司	11	官學	21	東司	24

東四旗	41	奉安	126				
東作廠大使衙		奉先殿	55				
門	32	奉政大夫	103	九　畫			
東長安門	52	奉部編給	256	怨聲載道	255
東安門	52	奉委公出	250	客商	104
東京	67	奉移	126	恰恰好	208
東科房	24	奉宸苑	26	洽於兆民	258
東直門	52	奉直大夫	103	咸安宮官學	35
東佳	75	奉國將軍	114	祝讀官	93
東便門	52	奉載改調	234	洞渦	162
東順山	68	奉鑒	114	帝糸	163
東華門	52	奉天府	4	述旨	213
東閣	57	奉天清吏司	4	架閣科	35
東關門	52	奉天清吏司	37	要犯	141
東嶽廟	61	奉祀	118	苑副	84
東廟案房	24	奉祀生	110	胥在是矣	258
東廟	24	奉祀禮部	39	枷號	181
東城兵馬司	24	奉祀禮部	38	香火地	62
東城察院	24	奉旨	213	英額邊門	70
東陵工部	73	奉旨降用	258	負載	147
東陵內務府總		奉旨降用	213	玻璃廠	16
管衙門	73	奉恩將軍	111	穿孝	182
東陵承辦事務		奉恩鎮國公	111	陋規銀	197
衙門	73	奉恩輔國公	111	柏唐阿	92

洗馬	109	胡亂動作	170	恩圖永好	229
侯	111	恢復	189	待詔	94
剋落	215	洋課	152	待詔廳	18
胞兄	172	郵賞銀	165	盈餘銀	218
洙泗書院	33	屏氣	185	盈寧庫	48
政典	190	屏藩	217	冠冕	196
庫	13	面奉諭旨	248	冠軍使	116
珍饈署	17	面奏	246	則例	164
泉山	67	苦獨力	160	則例館	12
拷打	138	苦怨	164	勇往直前	157
卸事	171	計參	132	勇敢	170
毡庫	48	計典	132	亮兵	204
厚顏	193	勉強	161	亮兵	204
幽宗	59	勉力勸賑	238	活租	194
叛逆	147	契尾	170	活捉	222
砍樹為記	188	契根	176	流言	136
約束不嚴	253	衍慶宮	55	流罪	217
怎麼受得	124	衍聖公	83	恆裕庫	45
食不甘味	254	柔軟順宦	153	恆積倉	44
背主投營	227	柔遠清吏司	12	俊士	112
苞苴	148	革職留任	236	俊秀	95
省親	156	革職	161	品級	108
郊祭	192	狗庇	193	品級山	69
狠毆	146	狗情	193	紀錄	141
		恩量真可依靠	131		

301

紀錄	154	急選	140	貞符	130
俗子	95	冒名代替	257	按次辦理	231
俗儒	81	冒籍	188	按時	138
度命	139	冒領	166	按察使	91
度量	211	急玩	146	建坊	203
律	217	急玩迂緩	259	建言科	11
律例館	36	急慢誤事	238	建威大夫	89
故自傷殘	254	星士	107	拜把子	129
故殺	207	星辰	147	拜牌	196
限票	141	星夜	195	拜壽行賀	239
限票	174	挑取	184	是非	150
姦久情密	226	挑淺	201	是否之處	230
姦淫	200	挑唆	146	是是非非	150
迪光殿	55	封印	196	即選	152
迪化縣	71	封筒科	37	即補	152
迪化府	71	封條	208	即然	172
祖奠	219	界牌	213	即然	191
祖錢	188	界藩山	75	指示	171
祖斛	189	界藩城	69	指名參奏	257
咨文房	15	祠堂	62	指稱修理	247
咨文	151	祠祭清吏司	39	指揮	109
咨報備核	242	祠祭署	39	施主	118
急速辦理	238	貞女	108	施恩	211
急忙	178	貞度門	52	施毒	164

施威	166	俄羅斯學	7	致謝	169
威逼致死	166	秋分	176	致齋	177
威遠堡	65	秋官正	94	致齋於内	249
威權	166	秋審	176	首犯	190
威嚴	166	秋潦	176	首告	212
科則	193	秋獮	179	首盜	190
科派	170	看光景	128	首輔大臣	86
科鈔	215	看守	199	首領	99
科歛	186	看馬人	80	首領官	99
科爾沁	75	看情面	193	紅批照票	262
宣洩	181	看語	199	紅契	196
宣課司	30	春分	156	紅單	161
宣徽院	17	春正官	87	紅帶子	219
宣武大夫	89	春坊	27	紅頭牌	219
宣武門	51	春訊	156	紅旗甲	37
風教	187	春蒐	145	紅旗司	37
風聞	150	哈蜜回子一族	41	信守收關	226
風俗	212	哈達城	74	信票	130
風俗通	129	哈腰行禮	173	信息	127
風俗舊例	129	哈爾薩山	64	信牌	130
俄卜嶺營	7	哈爾薩河	64	信幡	130
俄羅斯文館	7	致干法紀	261	信實	130
俄羅斯佐領	41	致意	167	信口	130
俄羅斯館	7	致滋貽誤	243	信口胡說	170

保守	130	查獸大臣	116	後護侍衛	79
保和殿	54	昭	212	後庵大臣	80
保送	130	昭忠祠	61	後庵	125
保修	130	昭武大夫	89	侵佔街道	255
保極宮	57	昭陵	72	侵尅	214
保舉	130	昭德門	53	侵盜錢糧	252
保題	130	昭西陵	72	侵漏	215
保奏	130	昭西陵內關防		侵蝕銀	215
保薦卓異	204	衙門	72	侵蝕	215
保薦卓異	253	昭西陵禮部	72	侵欺	215
降用	220	重山弟兄	145	侵欺拐騙	258
降俸	219	重支	208	侵欺挪移	228
降罰處分	254	重開	209	神祇	139
降調	206	重陽	150	神庫	44
降職	236	重複	189	神御殿	54
降龍山	70	重複	189	神廚	4
降級	206	重馱	154	神牌	139
降級留任	254	重戀不貸	232	神農	147
查功牌	186	後代	125	神樂署	39
查核房	34	後世	125	神旛	139
查奏內稱	240	後左門	50	神機營	28
查照辦理	239	後右門	50	南苑	19
查得	171	後母	172	南館倉	48
查對	170	後所	3	南鞍庫	48

南新倉	48	很厲害	193	軍犯	204
南漕科	32	很窮困	146	軍屯田	131
南書房	32	很緊急	161	軍政	204
南廳	32	很健忘	146	軍罪	204
南雙山	69	很暢快	180	軍務科	30
南城兵馬司	32	很小	181	軍需孔亟	253
南城察院	32	很小一塊	136	軍需局	30
相去不遠	225	很好	129	軍需庫	48
相連	183	奏片	221	軍器科案房	30
相惱	144	奏本	129	軍器科值房	30
相距科	7	奏差	119	軍器科算房	30
相繼就擒	244	奏准	221	軍機	202
相應具揭詳參		奏銷	170	軍機大臣	101
等因前來	262	奏摺	222	軍機重務	253
相應駁回	259	奏稿	221	軍機處	31
相應據詳具題		奏補	221	皇上	101
補參	260	奏事處	14	皇子	81
相士	106	奏蒙古事侍衛	109	皇史宬	36
相度情形	250	奏章科	38	皇后	91
很	205	奏章科	38	皇祇室	55
很一樣	150	奏請陞用	171	皇宗室之孽	151
很好	193	奏請陞用	239	皇乾殿	54
很容易	156	軍令	204	皇城	36
很傷感	138	軍法	204	皇穹宇	58

皇帝	91	為先行事	234	為謹奏事	260
皇貴妃	91	為呈報事	225	為遵旨奏銷錢	
皇華驛	24	為咨送事	240	糧事	258
皇太子	91	為知照事	242	為嚴傳事	252
皇太后	91	為究查夫命事	241	為轉行事	232
皇極門	50	為查行事	239	為咨行事	258
皇極殿	54	為傳止事	231	為咨催事	241
前月	200	為從	127	為首之人	149
前年	203	為移咨事	260	為首的武官	107
前任	153	為參照事	262	為奏聞事	249
前所	32	為補行事	235	為奏銷地丁錢	
前車之鑒	255	為添行事	235	糧事	232
前參	153	為欽奉上諭事	248	為恭呈事	260
前引	208	為領取事	235	為恭報微臣到	
前引大臣	107	為條陳事	236	任日期事	225
前站	159	為裁行事	201	為請旨事	258
前站	88	為詳明縣令之		為請假事	245
前鋒	208	虧空等事	203	為覆行事	246
前鋒校	88	為傳知事	244	為覆奏事	246
前鋒參領	88	為發給文憑事	230	為此	137
前鋒統領	88	為曉諭事	233	為此知會	228
前鋒統領衙門	11	為薦舉事	243	為此呈報	228
前鋒營	11	為議奏事	259	為此咨事	228
前鋒翼長	88	為調補事	262	為此奏聞	228

為此特交	228	冤柱	185	祥瑞	179
為此傳知	228	射箭撃不動	157	虔婆	89
為此謹呈	228	換班	142	送信人	105
為此謹奏	228	挫銳氣	155	展限	174
		員外郎	82	圓扁子	90
		徒罪	222	旁決	170
十　畫		浴盤山	64	株連受累	232
哲陳愛滿	76	挺強行之	166	真詮	147
豈不美哉	256	納采	196	扇手司	21
宰相	80	鬥毆	172	迷失子文	201
索倫	75	凌遲	217	院考	187
狼煙	192	挽首自招	233	哪些財物	226
朔日	186	准抵	217	貤封	210
辱罵	215	息上加息	251	拿主意	187
氣斷	139	乘機會	154	拿問	205
破缺不齊	139	脂膏	152	剜挖	191
陣亡	190	班劍司	36	剝削刻苦	258
剜眼	209	殷奠	213	酒局	70
殉難	207	恐嚇	212	酒醋房	70
挈壹正	111	埋伏兵	178	振武	55
郎中	84	殊像寺	61	振威大夫	89
逃人	85	訐告	212	倒填日期	230
益昌庫	45	容貌	128	倒灌	218
草廠	7	捏造俚歌	227	兼程	146

兼管　158
准支科　33
准其離主　227
唐古特學　22
唐望山　67
挾仇拿送　259
挾妓賭博　259
師善齋　50
師傅　95
校對官　104
校尉　110
浙江清吏司　31
浙江道　31
捋　204
特申訓誡　252
紛紜　173
紛華靡麗之司　231
骨格　128
骨相可觀　259
晉封　220
晉封　221
烈女　109
烈婦　109
消長　134

消長冊　137
租稅　198
租價　203
租銀　198
病故　155
病痊　210
病後復原　188
俸餉處　37
俸深　219
俸糧科　37
案呈　171
案房　14
案首　94
挪前補後　255
挪墊　210
挪移銀　191
酌定　126
酌派　126
酌撥　126
記時表　138
記過　154
記號　183
料不定　177
料估　182

料估所　19
俱穿素服　257
俱准寬免　257
俱著據實供出　256
陛見　193
陛辭　217
陛辭赴任　267
桃林口　68
桃花水　155
桃花水滾下來了　155
夏官正　109
夏苗　148
夏時陳損禾之圍獵　149
捕快　91
捕盜廳　13
捕領　156
海城縣　68
海氛未靖　251
海運倉　41
財多　148
財貨　148
財帛　148

308

財帛牛馬俟於	素行不謹 256	候選 184
神前叩首獻	素無嫌隙 247	候補 156
過變價祭祀 148	素局 4	候缺 145
陝西甲 20	素局 5	候缺筆貼式 85
陝西道 20	捐貢 82	借品調用 254
陝西科 20	捐監 82	借端生事 235
陝西清吏司 20	捐納房 3	借債 208
烏梁海十一旗 41	捐納銀 128	借給 208
烏蘇里 74	浮多 218	被人威逼 235
烏拉城 64	浮冒 218	被竊打全然無
烏拉城 74	浮躁 140	妨 170
哨兵 157	浮躁淺露 231	被告 88
哨地 157	值日 141	被告 63
哨探 158	值年旗 3	陞用 221
哨樓 158	值班 142	陞仕 197
除去出征瀆缺	值宿 142	陞增 173
外 253	家生子 199	陞調科 39
除服 181	家事 177	茶上人 106
除俸 219	家譜 177	茶房 29
除挑廢米 261	家產盡絕 242	茶庫 47
貢士 96	城門尉 104	茶馬司 29
貢生 96	城守兵 199	茶稅銀 203
貢院 19	城守兵 104	時運 138
貢院 183	城守尉 89	時價 137

309

時憲書	138	恭候欽定	248	追趕	217
時憲科	5	郡王	102	追敵尾攻殺	151
時憲科	5	郡王福晉	102	缺上	145
書寫	94	郡主	89	缺支	178
書辦	97	郡主儀賓	89	缺科	7
書吏	97	郡君	93	缺額銀	194
書生	97	郡君儀賓	102	缺主	85
書生	93	剛柔緩急	235	缺主	145
書缺科	21	剛健	216	恩貢	118
書缺科	19	剛銳	201	恩詔	211
高士	118	剛愎性成	238	恩騎尉	111
高下其手	239	剛剛	158	恩豐倉	48
高祖	188	剛剛夠	208	恩賞銀	211
高麗佐領	41	泰東陵	72	恩賞銀庫	48
高麗館	19	泰陵	72	恩賞宗室銀兩	
挨次	144	泰陵工部	72	庫	45
挨肩兄弟	144	泰陵內務府總		訓示遵行	245
挨貢	79	管衙門	72	訓科	113
挨槌	123	泰陵總管衙門	72	訓術	113
挨選	145	泰陵禮部	72	訓導	84
恭呈御覽	260	追封	133	訓練士卒	253
恭請聖安	229	追悔前非	234	訓練頒勤	233
恭設香案	260	追賠銀	176	訓練相習	254
恭謹	210	追緝	217	留任	197

留抵	174	庫使	85	馬蘭峪	68
留標	163	庫雅拉	75	起由	218
留心體訪	237	庫掌	86	起兵	204
留心	167	庫藏	152	起於細微	244
留都	188	庫存	153	起運	208
留都	22	庫存銀	153	起認贓物	250
宮倉	40	倉收	202	起復	189
宮報	97	倉長	106	起徵銀	193
宮宰	115	倉科	29	起居注官	83
宮殿名	54	倉庫名	43	起居注衙門	6
宮殿監正侍	115	倉卒	134	起解	208
宮殿監副侍	115	倉卒	140	起解銀	208
宮殿監督領侍	115	倉場總督	106	起解置用	248
宮殿監督領事	115	倉場侍郎	106	修	189
原估工料	240	馬甲	201	修身	173
原品休致	245	馬兵	80	修過堤工	247
原官致仕	245	馬快	105	修撰	92
原廟	61	馬政科	28	修書處	15
原任	197	馬步箭	155	修築	203
原任筆貼式	103	馬牌子	112	修濬	162
原告	88	馬乾	201	修武郎	90
原告	163	馬館	28	修武佐郎	90
庫丁	86	馬爾敦	75	修道堂	25
庫守	86	馬蘭口	68	修道堂	57

修職郎	103	猖亂	199	敍功	216
修職佐郎	103	販子	104	飢寒	210
		彩棺	218	裕祭	126
		陳槍營	37	粧羢	152
十一畫		梓宮	123	崩	150
堅供不移	248	陶人	101	淺綠	154
務本力田	262	淒淒切切	152	偷安	206
淨身	240	逢著	153	淡綠	154
培薄增卑	234	康濟錄	140	敕爾布	85
授意分肥	237	統轄	150	掛號房	14
淫辱	215	逡巡	199	訪拿	219
得福	168	陵類	72	盍牌	179
偃息自由	230	埠稅	105	捷音	134
宿衛	197	毫無顧忌	251	斜路	134
匾額	143	符節	126	張家口	63
掃興	133	救援兵	190	淤阻	169
偶人	86	淹殺	181	訥毅	74
淳漓	235	掏撲	213	救	216
敏勉	173	梗塞	157	密本房	9
野草地有路者	174	寅	188	密勿從事	259
閉泓	175	寇殘	169	捨本逐末	246
梁水河	71	烽火	166	捨命	139
帳房頭目	105	累世	205	酗酒恣性	235
寄口信	130	綏遠清吏司	12	酗酒撒潑	245

殺的堆積多	178	部覆與例不符	256	視疾	155
殺虎口	67	透支	218	視為具文	233
細	181	透骨	214	粗碎惡米	252
細密隱事	152	深仁厚澤	245	粗舉大概	182
惜重	127	深仁厚澤	248	望祭山	64
惜薪廠	24	悉心酬覈	237	望闕叩首	227
貧僧	110	悉本正學	257	望闕謝恩	236
貧賤	209	執字侍	104	責成之法	252
健將	88	執照	192	責任	127
健銳營衙門	19	這做什麼	137	責任綦重	226
許多月	175	這事上頭何妨	134	陪臣	79
許多（哪些）		帶領引見	235	陪都	188
財物	226	帶徵銀	158	陪祭	124
設立名色	257	雄勇祠	60	問安	140
設法緝賊	226	雄節司	23	問取口供	130
庶子	104	專特	204	問喪	182
庶吉士	111	專擅大臣	107	探生	219
造具清冊	257	假公濟私	244	探買物料	253
造辦處	39	假推	123	探捕衙門	17
魚鱗冊	147	斬罪	179	乾肉	157
魚鱗冊	161	斬決	179	乾肉庫	45
規矩	200	斬殺	179	乾清門侍衛	111
規避處分	263	牽馬人	113	探子	95
部單	209	牽駝人	101	探花	101

313

探傷	207	莊頭	108	做有益事	197
排長	114	莊頭	101	做房	39
排單	201	船准頭	107	做官活計	132
排陣對敵的明		船務	31	做書作	34
兵	143	船署長	107	異物誌	139
飛冤駕害	231	處分	222	異姓親戚	179
飛報軍情	253	處處的	110	異端	83
飛龍閣	57	處署	163	異端	139
章	76	頂名	211	動工	222
章京	108	頂馬	94	動手	159
章佳	76	頂衛運口	255	動用	126
票	192	頂衛	186	動事典法	239
票籤	189	連在一起	154	推官	117
票籤處	3	連班	142	推脫	123
偏任喜怒	233	連累	200	推班	142
偏歪	151	連閏計算	225	推諉	184
偏護	151	陰文合符	134	敕	213
硃批	219	陰謀辭毒	242	敕	187
硃鈔	219	陰陽學	5	敕命	187
硃卷	203	陰陽生	83	敕書	136
國史館	36	率其引見	235	勘估	176
國子監	36	率多浮費	240	勘語	174
國子監監丞	115	率妄之咎	239	勘合	126
莊丁	88	率性堂	14	勘合科	3

混同江	65	貪婪	196	情實	199
混認贓賦	238	貪婪不謹	249	情實堪憫	250
混淆曲直	249	強行難姦	227	接任	183
混戰	219	強劫	143	接署	183
條分縷析	236	強姦	134	接微	183
條記	168	強盜	143	接續不斷	209
條例	164	強奪姦占	227	接連	135
條陳	160	強勝出羣者	160	接連傳之	148
條陳	161	教官	98	將夠	141
勒令休致	229	教授	117	將材科	30
勒令開缺	229	教諭	113	將此	137
勒限	174	教場	35	將盈庫	47
勒限嚴緝	241	教習	98	將及	141
勒限追文	241	教習庶常館	34	將及拿住又跑脫	153
逐斥	152	停其陞轉	263		
逐項	161	停留	152	將軍	109
逐款詳查	236	停陞	221	將軍有守城之責督辦有剿匪之任	254
逐級陞轉	192	停俸	219		
逐一	140	停俸養病	262		
逐一分晰	230	停俸開缺	262	略少給些	179
貪而無饜	184	情切	167	略言之	165
貪庚	196	情罪略節	263	略估	202
貪酷	196	情願抵償	252	略責	128
貪贓壞法	232	情屬一體	237	略誘	128

略節	198	祭器科	39	啟疏科	34
略節緣由	245	祭壇	202	啟奠	126
現到之月	143	祭祀	221	啟運山	71
現銀採買	234	祭祀科	38	啟運門	53
現徵	153	理刑科	40	啟運殿	58
現在出差	234	理間	117	從一品	144
現在等辦	234	理應慎重	260	從前	190
現任筆貼式	87	理書	159	從風慕義	263
現任	153	理合題報	259	從彼	191
現成	153	理合據詳題參	225	從重懲辦	232
現成	152	理事廳	40	從優議敘	247
崇文門	52	理事同知	119	從權	195
崇心堂	57	常平倉	47	從此從彼	134
崇政殿	58	常在	106	從此	137
崇樸閣	56	常常	186	從此	137
崇城	34	常制	129	從容	140
崇源協應河神		常服掛珠	226	堂子	57
廟	61	常盈庫	45	堂火房	22
崇聖祠	59	常豐倉	45	堂房	22
崇聖祠	59	常川帶俸	247	堂呈	188
祭文	221	常川看守	247	堂本房	22
祭法	221	啟心郎	106	堂印房	22
祭肉	133	啟奏科	38	堂劄	132
祭酒	80	啟疏	213	堂號房	22

堂禮房	22	清寧宮	58	通考	162
堂總科	22	清正道士	94	通倉	47
參政道	82	清正	177	通奉大夫	102
參草	220	清海	71	通典	162
參將	80	清海三十旗	42	通目脫放	233
參票	146	清河	64	通姦	212
參奏	220	清河城	66	通判	81
參罰	220	清河城	64	通積倉	45
參領	107	副內管領	84	通關	210
參差	187	副司庫	81	通議大夫	102
參酌情法	250	副考官	80	通稱	150
參贊大臣	111	副都統	105	通盜往來	238
參議	82	副指揮	84	通曉	217
參議	82	副榜	79	通行書籍處	15
清丈	212	副掌關防官	79	通行則例	241
清冊領狀	257	副護軍參領	84	通事	88
清明	212	副總裁官	82	通事官	88
清早	203	副本	124	通濟倉	45
清茶房	34	副本科	3	通濟庫	46
清軍廳	31	副使	84	通政使	80
清廉	163	副使道	82	通政副使	84
清漢名冊	251	副將	82	通政使司	22
清楚辦理	260	副將	82	通融撥給	254
清慎勤謹	242	通本	162	通融辦理	254

通州中倉	47	喀爾喀等部八		棻上人	103
		十六旗	42	裁贖銀	184
		詔	181	掣籤	182
十二畫		鈕	181	棺槨	166
註銷	191	點班	142	菩薩頂	62
跋庵	189	翔鳳閣	57	屠户	86
棋士	101	喝令	124	斑白	180
卿	81	歌斜	134	閏月	123
評事	105	就日牌樓	56	勝員	123
極刑	192	絕不敢視為具		答應	99
創獲	220	文	226	鈔文	180
集義殿	58	傢伙倉	47	惡氣	136
豪毀死屍	259	費用	217	描模印信	249
量為調濟	225	換班	142	奢儉質文	251
雅爾呼	76	湄沱河	69	裕陵	73
惑世誣民	253	期年	170	裕豐倉	44
凱歌	149	棟米倉	48	敦本務實	262
湍急	199	隊伍	172	敦厚	147
琴仙	112	媒婆	108	詐冒姓名	257
割臂	159	詈罵	170	詐為瑞應	243
超陞	189	童生	96	牌頭	208
敢	212	週月	175	牌頭	109
棲流所	34	幾年無過	232	斐芬山	71
晷影堂	56	喇嘛僧	105	斐優	76

紫光閣	57	筆貼式	93	絞決	187
紫荊關	67	筆貼式科	16	絞罪	187
盜犯	222	街道廳	32	賀喜	151
盜無實據	238	街道廳	109	賀禮	151
鈐用堂印	245	間日嚴催	246	渾河愛滿	76
鈐記	192	間補	183	渾河	71
逸犯	147	湯泉	163	援兵	127
逸盜	147	湯泉營	12	援勦	127
陽文合符	123	散秩大臣	99	終始	199
陽奉陰違	231	散騎郎	97	終養	200
痛自愧悔	240	搜撿大臣	97	給留地步	169
痛改	134	搜撿官	97	給事中	112
尊卑貴賤	248	登仕郎	103	給諡號	133
尊諡	222	登仕佐郎	103	隆業山	68
惠陵	73	堪任此職	228	隆恩門	52
惠寧城	71	堪膺此任	227	隆恩殿	56
備弓處	14	結盟	129	復州	67
備傘處	18	結親	155	復行核實	246
棟	75	揭曉	211	復覈無異	246
棟鄂	75	揭貼	198	閒款	184
博士	98	喪服小記	181	閒散內大臣	97
博士廳	21	喪服四制	181	閒散人	97
湖廣清吏司	13	殘引	138	番子司	13
湖廣道	13	殘疾	135	番役	91
				番僧	105

買物裁贓	232	爭錯	205	黃檔房	20
買賣人	90	單人獨馬	158	越級陞	189
買辦處	8	單月	184	越訟加等	243
補充行丈	235	單倂發	226	越幅	127
補班	142	貴人	115	越開	170
補授	184	貴妃	115	短命的	132
稅帖	203	貴州道	36	短解	148
稅契銀	203	貴州清吏司	36	短派	164
稅銀	203	疎密異形	243	短工	154
畫押	192	疎縱脫逃	259	短工	87
畫野分州任土		疎忽	213	等因呈准	243
作貢	241	疎忽之咎	231	等因交付	243
畫稿	206	溫和	153	等因前來	243
鄂多里城	64	溫柔	140	等因奏准	243
鄂漢和索洛	74	溫泉	177	等因鈔出	243
鄂勒渾城	74	溫雅	154	等第	206
揀發	184	黑爾蘇	70	喜之不盡	250
揀選	145	黑龍江	66	喜起舞大臣	105
揀選有名	211	黑龍江將軍衙		喜容	151
減存	137	門	18	喜樂	151
減等	206	黑龍潭	66	喜峯口	64
減等發落	250	黃冊房	20	貼出	200
尋人過失	215	黃族甲	20	貼防	127
尋找東西	171	黃旗科	20	貼斷	127

320

貼黃	198	善騎射	87	普寧寺	62
貼黃科	27	虛文泛言	233	欽天監	4
雲騎尉	104	虛張聲勢	233	欽此欽遵	243
雲麾使	116	虛銜	151	欽頒關防及王	
雲盤	198	虛數開報	233	命旗牌等項	259
雲南道	33	虛實	210	欽派大臣	111
雲南清吏司	33	虛贓	187	欽部案件	258
富新倉	44	順城門	51	欽差	111
富庶人家	168	順便	145	欽差	213
富貴	170	順著	172	報	181
富察	71	順軌	165	報到	181
富爾丹城	71	順孫	84	報房	18
盛京	69	順應渾河神廟	59	報捷	181
盛京內務府	29	發回原籍	246	報銷	176
盛京戶部	29	發祥地	210	報恩	171
盛京兵部	29	發單	189	報恩於萬一	240
盛京禮部	29	發財	148	進士	101
盛京三陵掌關		發標	163	進本	222
防衙門	29	發報	181	進呈科	6
善士	87	普仁寺	60	進哨	202
善後事宜	125	普佑寺	62	進班	142
善餉營伍	237	普陀宗乘之廟	60	進貢	131
善撲營	17	普樂寺	62	進貢	131
善鵠射	104	普渡寺	62	進貢	131

循環册　218
循聲素著　243
循分守禮　248
循分供職　248
循還房　21
循還處　21
尋隙　218
尋隙間之　205
掌印　196
掌稿筆貼式　99
掌衛事大臣　86
掌醢署　26
掌儀司　25
掌嘴　185
掌關防衙門　10
掌關防管理内
　管領處　17
朝日壇　61
朝考　195
朝房　7
朝賀　151
朝參科　11
朝陽門　52
朝儀科　11

朝覲　163
朝議大夫　103
朝審　195
朝審　195
景山　63
景行門　50
景佑宮　54
景陛街　53
景德街　51
景陵　72
景陵禮部　72
景陵内關防衙
　門　72
景陵總管衙門　72
景陵内務府總
　管衙門　72
提訊　222
提塘　85
提調官　91
提牢　112
提牢廳　35
提舉　100
提舉閣事　79
提督　117

提督學政　98
提督軍務　252
提督九門步軍
　巡捕三營統
　領衙門　8
提督九門巡捕
　五營統領衙
　門　8
開户　193
開印　195
開列細數　234
開缺　145
開設科　23
開復　188
開張賭房　254
開揭呈詳前來　236
開城一巨流河　64
開原縣　70
開原法庫邊門　70
開除　185
開除　185
御門辦事　150
御船處　12
御制制勝將軍　111

322

御鳥槍處	12	無定規	129			
御筆勾除	248	無甚主意	167	**十三畫**		
御藥房	23	無甚異樣	124	落後	125	
御醫	102	都吏科	21	裨補闕漏	229	
御前侍衛	89	都督僉書	93	塞責	194	
御前大臣	89	都虞司	18	慎行司	5	
御馬	165	都紀	117	裏裏外外	195	
御馬監	7	都察院	9	預領	196	
御書處	24	都綱	117	填榜	199	
御書樓	57	都騎尉	92	滅跡	184	
無干省釋	247	都書科	3	搶修	158	
無可奈何	149	都水清吏司	33	詳察	152	
無用閑人	171	都水清吏司	29	溺職	197	
無品級司庫	108	都司	99	誅	152	
無抵	217	都司僉書	93	傾圯	138	
無恙	140	都城	34	鼠耗	183	
無堵塞	181	都城隍廟	62	雍和宮	56	
無辜	185	都事	86	稔知	192	
無缺	145	都事	92	犀毗	187	
無影	145	都事廳	5	逾限	174	
無級可降	262	都統	90	褅祭	133	
無頭緒	188	都統科	13	溽暑	169	
無極	123	都統衙門	13	肅紀左司	34	
無定	194			塘務廳	8	

畸零册	178	遍緝	170	碑	140
虔衛清吏司	33	琿春	76	碑文	140
跪聆聖訓	229	葉赫城	76	殿試	193
隔省關提	229	賄賂公行	231	殿後	125
溥善寺	60	閘軍	87	禁止屠宰	229
擎牧倒覽	262	鼓廳衙門	27	禁約	217
遂謀殺夫	233	零碎	149	剿撫	174
黽勉急公	244	葬埋	152	剿滅	221
葷局	4	溝洫	148	愛惜	161
擯解	184	聘牌	213	愛琿城	63
勤慎	214	綑打	210	傘上人	95
暇逸	131	微	181	傘上頭目	95
嫉妒	124	煤食房	30	溢價銀	218
碉樓	33	嗇夫	82	溢額銀	194
腳力科	33	虞人	94	搖旗	214
業經具疏	230	筵宴	180	搖會	141
酬酢往來	231	置有產業	231	資政院	22
試卷	183	置喙	130	資政大夫	102
躲避	134	該處來文	252	罪	222
逼殺	162	該進班	142	罪人	119
鴆殺	137	盟主	88	斟酌	126
羨餘	220	盟長	160	斟酌辦理	250
壺室	22	賊盜	90	傷之	164
溘逝	172	賊勢不敵	238	傷心	167

馳驅	185	跟役	114	跳班	141
馳驛	147	跟著	172	跳營寨	186
睚眦小失	260	飯上人	94	圍丁	110
睚眦小忿	253	飯房	17	圍戶	110
準情度理	250	飯局	17	圍頭	110
準備好	153	綏來縣	67	暗邀人心	249
馴馬司	10	綏遠城	64	暗兵	184
馴象房	10	綏遠城	66	暗兵	96
溜馬汀	68	頒白	128	彙造清冊	257
溜邊走	75	頒行中外	249	彙解	126
遊僧	87	頒行法律	244	彙題	186
遊擊	99	搭運	125	彙總辦理	245
債	208	搭放	125	敬一亭	54
債深累重	241	搭放兵米	225	敬止	215
歲考	129	詹事府	24	敬典閣	55
歲修	129	詹事府詹事	101	敬備御用	360
歲暮	126	詹事府少詹事	101	萬安倉	46
滋弊舞文	254	僉使道	79	萬壽無疆	198
滋生銀	218	僉派	195	萬壽聖節	250
滋生庫	49	僉運	198	萬壽寺	61
廉介	163	違反教令	245	達孝	162
廉恥	163	違例	164	達變	167
廉隅不謹	256	違限	174	達呼爾	67
跟子	99	跳城	166	達呼爾	75

腰牌	131	催總	93	義士	110
腰簽	191	意足	135	義夫	110
腰站	129	意亂	167	義州	69
腰站	4	意念足了	135	義倉	48
路走一半	207	意念篤切行之	180	義理	209
路引	207	福至	168	著手	159
路程	207	福晉	118	著刑	138
路費銀	207	福勝門	51	著的結實	155
解元	94	福陵	73	著回原籍	247
解任	197	當面	193	著回原籍	191
解任回旗	250	當差行走	132	過付	148
解任回籍	250	當家立計	177	過房乞養	235
慌張	157	當月處	15	過堂	132
慌慌逃走	177	當月司	15	過新年	123
慌忙	140	農夫	85	過失	139
慌忙	134	農田司	8	過失殺	139
運同	100	農忙	147	新任	143
運判	100	農隙	147	新收	143
運副	100	農商相資	245	新投誠準噶爾	
運籌帷幄	197	號衣	192	十六旗	41
催文	176	號烟	192	新倉	44
催長	93	號簿	192	新例	143
催要	186	號房	19	新陞	143
催緝	161	號房	183	新槍營	6

道	25	督糧道	109	鄉村	159
道士	102	督催所	3	鄉勇	191
道正	108	督催所	10	鄉試	165
道官	102	督催	157	鄉黨	159
道統	195	聖人	139	鄉君	115
道錄司	25	聖旨龍牌	130	鄉君儀賓	115
道德仁義	249	聖容	139	鄉紳	100
道會	113	聖誕	140	鄉紳	191
道臺	102	聖主	83	鄉賢	88
照行	209	聖主	139	鄉賢	159
照前	141	聖訓校勘處	5	經年	123
照例	164	聖訓	139	經咒館	10
照磨	112	聖澤書院	5	經制	194
照數收託	248	聖澤書院	59	經管	124
照常	129	傳文	180	經徵	124
照常	188	傳心殿	57	經綸	144
照舊	188	傳布訛言	233	經費銀	194
照舊供職	246	傳宣	95	經會司	29
督理	157	傳遞	148	經筵	133
督緝	157	傳闈	150	經紀	90
督學科	19	傳臚	105	經紀	168
督捕衙門	27	傳諭	217	經略	119
督捕清吏司	8	傳諭	181	經略	195
督糧科	31	鄉丁	159	經緯	144

經緯	144			緝錢	151
經歷	91	**十四畫**		歌童	85
經歷	92	誘敵之兵	210	榮祿大夫	102
經歷司	14	熙和門	51	說帖	148
會元	94	緊要之處	128	綱紀	213
會意	167	酷刑	146	滴血	181
會奏	125	漫不經心	262	槍手兵	201
會演	125	僥倖	206	綳殺	171
會試	125	聚奎堂	55	劃題	221
會乘殿	58	銜名履歷	257	腐儒	106
會審	125	箋	124	蜡倉	43
會聚議爭	204	甄別	145	雒州	63
會同奏稱	230	蓋平縣	67	熊岳城	68
會同四譯館	3	寬恕	146	製造庫	44
會典	150	榜眼	97	摺配作	18
會典館	9	慘刑	165	銅牛腿號	141
會票	169	嘗恩	211	團練	141
會票銀	169	疑惑不定	140	膏火銀	143
會盟	160	嘛哈噶喇廟	61	膏脂	183
會盟	204	奪情起復	237	嫡長子	100
會議	212	豪傑	91	嫡孫承重	246
會議	125	嫩江	64	誕幻無稽之談	237
會計司	3	舞女	105	誕辰日期	230
		誌	136	摘印	196

摘參	198	遣奠	162	嘉峪關	66
誣告	173	駁行	172	嘉穆澂	76
誣陷無辜	245	駁回	172	網子甲	77
赫哲費雅哈	70	需夫孔亟	238	網戶	77
赫圖阿拉	70	需索勒揹	258	墊發	207
遠近異勢	227	寢不安席	248	墊解	207
遠流	165	寢食俱廢	227	墊賠	207
察例	164	算科	16	廠丁	115
察議	171	算學	16	廠長	115
罰科	183	漏刻科	5	廠副	115
罰俸	219	漏開	127	催工	103
廕生	118	誤殺	187	催夫	103
廕監	118	誤職	195	催夫	118
彰武臺	67	齊齊	172	遞送科	8
彰儀門	50	齊齊哈爾	71	遞挪	145
劄付	127	漸有起色	233	遞運所	8
劄付	204	漸漸	151	端公	15
漁翁	87	漸次	151	端門	52
漁翁	156	賓客清吏司	4	端重	141
竭力稽察	236	賓館	4	誠心堂	57
竭盡駑駘之力	250	輔國公	114	誠哀矜悱惻之	
聞訃	182	輔國將軍	114	至意	252
聞訃丁憂	244	寡人	75	誠實	147
遣官行禮	236	寡婦	130	窩主	88

329

窩主	169	銀庫	47	漢軍	149
窩集愛滿	76	銀庫大使廳	28	漢軍都統	41
夤緣作弊	249	銀庫平科	28	旗分佐領類	41
夤緣倖進	256	壽民	107	旗手衛	35
夤緣通賄	256	壽考作人	253	旗租銀	168
圖記	192	壽皇殿	54	旗鼓佐領	42
圖倫城	68	壽康宮	58	旗籍清吏司	31
圖結送部	234	對品調用	246	寧古塔	74
夥盜	166	對對	208	寧古塔副都統	
夥長	98	對讀所	3	衙門	10
夥長	187	對讀官	81	寧海縣	68
誥	151	截奪	213	寧遠州	65
誥命	151	截毆	194	寧壽宮	54
誥封房	37	截留	201	演武廳	30
誥勅科	37	截留銀	201	演習	204
輕車都尉	80	漕單	161	演法	84
輕齎銀	208	漕穀倉	48	演慶河神廟	62
輕浮	222	漕運總督	109	演禮	196
輕浮暴戾	263	漕截銀	201	盡夠用拿去	141
趕車	180	漕糧	263	盡情力勸	201
趕幫	222	漢文	154	盡數按名	248
趕領	133	漢科房	9	盡力	168
趕緊辦理	236	漢書	154	盡力	202
銀�876庫	47	漢檔房	9	盡力走	203

慈母　149
慈祥門　53
慈惠　206
慈航普渡　54
慈寧門　51
慈寧宮　55
僧　90
僧正　108
僧官　91
僧會　113
僧錄司　13
僧道科　13
綠色　154
綠營官　87
綠頭牌　154
綠旗　10
綠旗　41
綠旗漢兵　87
綠旗　154
蒙古七甲喇　42
蒙古六甲喇　42
蒙古音律處　30
蒙古犯罪罰財物　211

蒙古堂　28
蒙古都統　42
蒙古都統　105
實心任事　231
實在　210
實收　210
實有裨益　256
實勝寺　62
實錄　210
實徵銀　210
署　36
署正　116
署丞　116
署事　170
署使　114
署使長　114
領班筆貼式　79
領狀　124
領隊大臣　105
領閣事　79
領催　93
領憑　162
領文　159
領咨　159

領運　125
領侍衛內大臣　113
領侍衛內大臣處　35
精兵　183
精明強幹　257
精神　146
精敏　152
精詳慎重　234
精捷營　22
精膳清吏司　18
精微批　152
滿本堂　28
滿檔房　28
滿徒　143
滿流　143
滿洲奴才　114
滿洲奴才　216
滿洲都統　42
滿洲都統　105
滿洲氏族通譜館　28
滿洲蒙古翻譯房　28

管莊房	40	監臨官	87	墩臺	166
管操官員	233	監察御史	91	線賊	201
管領	41	監候	85	節省	211
管壇大臣	106	監修總裁官	104	鄰里鄉黨	124
管見	212	監造火藥局	27	賣俏人	88
管見蔘陳	251	監造花爆處	12	熱審	163
管理三旗銀兩				篆字館	37
莊頭處	6			駐防	180
管理威遠堡等				慮長遠	180
六澄事務衙		十五畫		影射	144
門	13	罵人砍頭	149	潼關	68
管轄不嚴	235	撞門	149	撬門	149
管轄嚴肅	235	箭亭	11	踏踐田禾	231
管轄番役處	13	適才奉旨	253	僻處	202
監工	104	劍客	118	駑鈍無才	200
監守自盜	235	褒忠祠	61	廟亭	202
監犯	215	窮的精光	219	緩決	140
監印處	25	衝決	175	戮屍	214
監承	96	廚役	106	黎庶	179
監生	98	寫粗稿	182	緘口結舌	129
監視	191	寬免	146	撤兵	204
監紀	106	糊口	130	敷土禮	177
監門官	104	論功	216	潤耗銀	137
監督	104	稻廠	12	徹底清算	262
		劊子手	83		

徹底清釐	262	撥貢	96	增生	87
嫻習技勇	253	撥補	144	增耗	137
篦審	130	敵對	172	賠補	195
儉素	215	敵寇	91	賠累	195
磔罪凌遲	261	罷玩	184	賜名	211
緣事出境	239	罷軟無能	242	賜奠	185
磁庫	48	暫理	187	賜號	204
數目名冊	248	暫領	186	墨妙軒	56
稿房	32	標夫	118	墨爾根	69
徵仕郎	103	標營	161	墨爾根副都統	
徵正賦	132	輝山	70	衙門	40
銷除旗檔	238	輝發城	75	慶成宮	55
銷毀	138	銷算	185	慶豐司	5
賢王祠	59	銷算房	19	慶豐倉	49
賢良祠	61	鋪排	93	輪姦	160
緞疋庫	46	鋪墊銀	181	輪管佐領	101
緞疋皮張等項		彈事不實	262	輪管佐領	41
庫	46	彈壓	157	儀注	196
暮東陵	73	潘桃口	65	儀制清吏司	12
暮陵	72	潘家口	65	儀禮	210
閱兵大臣	107	暴庋	197	節令	160
閱武樓	57	暴庋	124	節婦	107
獎武牌	204	履順門	53	節慎庫	48
獎勵銀	216	履歷	209	審供	205

審事	222	飯食全俸	261	請旨簡派	258
審事官	92	賞賜科	33	請吃	129
廢弛營伍	167	耡田	150	請假	186
廢弛營伍	237	熟諳地理	234	請訓	187
廢員	138	熟習風土	238	稽俸廳	37
廢員	83	熟習語練	248	稽勳清吏司	36
編軍科	30	盤古	139	稽察	214
編指掌	152	盤查	171	稽察房	34
編修	81	盤剝	191	稽察所	34
編號	192	盤費銀	215	稽察內務府御	
德匯門	50	盤糧廳	31	史衙門	25
德潤身	173	調用	218	稽察宗人府事	
德勝門	52	調習試驗	233	務衙門	9
德勝門	50	調度乖方	231	稽察欽奉上諭	
撫民同知	84	調遣	217	事件處	24
撫近門	51	調撥	217	養子	149
撫馭無方	232	樂善堂	56	養父	149
撫慰	174	樂輸	178	養老女婿	168
窯冶科	23	樂正	114	養狗處	7
窯冶科算房	23	樂師	114	養廉銀	163
窯冶科案房	23	樂部	36	養親	155
窯冶科值房	23	樂舞生	114	養濟院	8
賞	185	請上尊號	262	養鷹處	34
賞罰	186	請示	190	養心殿	57

養心殿造辦處	28	廣寧縣	63	遺錯過失	251
養心殿造辦處	33			輸納	202
養育兵	91			樵夫	106
養育兵	169	十六畫		墾荒	220
廣東廣西甲	36	駢斬不枉	245	操演	150
廣東道	36	頤和殿	56	操練	150
廣東清吏司	36	樸實	216	靜鞭	123
廣東右翼鎮總		選士	96	靜鞭	186
兵官	115	黔首	179	擄來人	85
廣備庫	43	儘收儘解	238	擄掠	204
廣業堂	21	樹戶	106	隱匿欺蒙	244
廣恩庫	48	諭德	83	隱匿圖像	226
廣厚街	51	諳練營伍	237	廩生	106
廣盈倉	43	凝禧殿	55	廩給銀庫	49
廣渠門	50	壇廟名	59	翰林	93
廣儲倉	43	激變良民	243	翰林院	15
廣慈寺	62	遠道走	202	磨刀石	129
廣豐倉	43	雕刻匠	117	磨勘	214
廣西清吏司	36	嘴刻薄	130	機戶	109
廣西道	36	橋道科	25	機會	149
廣積倉	43	瘴氣	136	勳舊佐領	42
廣積庫	43	幡幢司	35	勳舊佐領	118
廣寧寺	59	橐駝	126	擅勾屬員	236
廣寧門	50	險工	163	擅壓	157

積慶山	65	憑據	183	獨自	159
積儲	144	錦縣	69	獨自	160
蕩平	212	錦州	69	錄用	141
蕩家破產	259	錦州府	69	錄科	122
圜丘	61	整年	123	錄書	180
圜丘壇祠祭署	61	整齊	216	錄勳清吏司	11
磚木科	37	整儀尉	116	遲誤之咎	230
磚券門	53	橫行嚇詐	238	遲延	140
遼河	68	橫徵私派	238	遲延疏防	230
遼陽州	68	橫豎	213	遲慢	140
禪房	60	諸侯	89	遲慢行走	151
禪院	60	諸物廢弛	228	縣丞	113
禪堂	60	諸項	161	縣總	113
據估	179	諸福咸臻	228	縣主	102
據詳題參	225	奮勇登山	261	縣主儀賓	102
據險	158	奮發	217	縣君	90
謀合容止	225	奮武郎	90	縣君儀賓	90
謀勇兼優	242	奮武佐郎	90	儒	92
謀殺	128	頭二司	8	儒士	111
雜項	178	頭甲喇	42	儒林郎	103
雜稅	178	頭等侍衛	86	儒者	92
雜職	178	頭幫	150	儒學	15
憑	175	獨石口	64	儒釋道三教	175
憑科	11	獨樹	165	歷代	205

336

歷代帝王廟	61	親熱	157	錢法	206
歷俸年滿	262	隨到隨結	230	學房	21
歷練之才	233	隨侍	112	學院	21
歷象考成	176	隨長隨消	247	學錄	101
歷審	189	隨漕支放	255	學正	80
遵旨議奏	258	隨圍	124	學正	108
遵例	164	隨征	100	學政衙門	21
遵照定例	249	隨征	189	學政科	19
遵奉施行	260	興平倉	46	學習讀祝官	98
遵行日久	246	興賢育才	242	學習贊禮郎	98
遵行辦理	256	興隆嶺	67		
辦公奮勉	244	興堪	76		
辦例處	12	興衰	134	十七畫	
辦照處	23	興京城	33	臨雍	187
辦參局	7	興京城	70	錫慶門	51
辦事明白	239	興京邊門一汪		臉變色	154
辦事誠謹	239	清門	70	繁文縟節	251
辦事掣肘	239	錢局	32	翼長	88
親王福晉	89	錢債本利	241	膽	220
親老告近	234	錢糧司	29	糙米	128
親侠	172	錢糧可靠	252	薨逝	178
親軍校	89	錢糧房	29	嬪	94
親戚	155	錢糧衙門	29	蕭條	183
親臨上司	254	錢法堂	31	爵銜	111

殮葬 214	鞠躬盡瘁死而	戲殺 138
邀截 194	後已 241	壓死 214
擢用 198	趲事勤劬 239	壓旗 214
幫貼銀 128	檔案房 23	壓徵 123
擎蓋司 25	霞綺樓 56	點心局 5
轅門材官 116	撻解 174	點卯 211
孀人 99	撻旗 168	點視 171
獲賊過半 238	聰明 185	謄黃 185
虧空 220	聰慧 185	謄錄官 95
嚇死 165	彌封所 9	謄錄所 18
瞭如指掌 159	彌封官 86	擬正 204
蟒袍補褂 258	欽跸 184	擬陪 124
濟用庫 46	欽禧門 51	擬罪 222
謙禮 165	優劣 218	謝降 170
鳖監免議 260	優貢 103	謝罪 222
燥暴 130	鴻恩 193	謝恩啟用 257
講經 107	鴻臚司 24	謝恩 211
豁然貫通 186	舉人 103	戴罪徵收 263
薦舉 179	舉哀 159	戴罪徵收 263
輿圖房 14	黏杆處 18	戴罪徵收在案 263
徽號 222	黏單 200	戴罪圖功 263
聯名塘報 257	懇乞留養 241	還宮 26
繂手 96	懇恩賣收 238	還報 157
館所 35	戲子 109	還顧 208

還有家產	213	避開路走	146	總隊	92
隱士	96	避開正路走	127	總稱	150
隱者	96	營伍	167	總檔房	8
隱語	177	營科	13	總督	86
隱點之咎	227	營繕清吏司	39	總督倉場衙門	29
龍井關	69	營盤	167	總辦秋審處	14
龍神祠	61	營造司	39	總辦秋審處	16
龍泉關	69	營造科	39	總管	86
龍門	29	禮司	25	總管	86
龍門壩	69	禮房	25	總管內務府	26
應請開復	246	禮部	25	總管內務府大	
應辦事件	231	禮科	25	臣	94
應徵銀	176	禮節往來	249	總管衙門	8
應否	126	禮器館	25	總管御膳房茶	
應否之處	225	禮儀	195	房處	24
檢校	91	禮儀科	25		
檢討	112	禮讓	196		
檢審	214	禮讓之美	249	十八畫	
檢驗	214	總兵	85	儲濟倉	47
檢舉	187	總房	23	雞姦	177
避重就輕	232	總起來	150	朦朧保舉	238
避暑山莊	55	總科	8	翻譯官	85
避勞就逸	245	總理工程處	39	氈袋	220
避難就易	251	總運	124	彝倫堂	4

墨砌	179	榷科	23	糧廳	31
舊太倉	49	榷總科	8	織造	97
橇	144	覆核無異	246	織造府	19
鏊徵	207	覆試	189	織造府	32
獵戶	94	覆覈	189	織造科	32
雙雙	208	職方清吏司	34	織染局	32
騎馬鹵簿	202	職名	211	鎮	10
醫生	85	職銜	162	鎮守	199
藍旗司	28	雜項錢糧	242	鎮西府	71
藍旗甲	28	雜科	17	鎮國公	114
謹具題知	260	雜職	94	鎮國將軍	114
謹身節用	240	簡明	137	豐足	140
闒茸	177	簡約	211	豐厚	140
闒茸疏忽	242	簡便單	145	豐盈倉	44
瞻仰	163	轉補	218	豐益倉	44
瞻雲牌樓	57	轉牌	185	豐贍庫	44
鞭責	186	轉牌	186	豐年	140
鞭隸	97	薩哈連愛滿	75	豐年	170
顏料庫	46	薩哈爾察	75	歸化城	71
顏料紙張庫	45	薩爾滸山	75	歸化城土默特	
闕左門	51	薩爾滸城	66	二旗	42
闕右門	51	糧科	31	歸伍	167
瀋河	66	糧單	160	歸旗守制	237
瀋陽	69	糧儲司	31	歸農	147

歸葬	172	薛奠	200	曠工	184
額外主事	118	獸醫	86	曠官	197
額勒敏哈勒敏		繡嶺	66	曠班	142
山	63	麗正門	53	覈減	214
額赫庫倫	74	臘八粥	150	覈銷	214
額編	194	難可逆料	249	覈對	214
額徵銀	194	顓沛	198	覈實	210
額徵鹽課錢糧	248	顛倒是非	233	嚮導	88
題名錄	159	羅文峪	69	嚮導	110
題留	221	羅漢堂	59	嚮導處	33
題報在案	242	鏖戰	167	嚮導大臣	110
題補	221	鏖戰	219	斷不可誤	226
題本	196	懷夾	213	斷事官	92
題本	221	懷遠門	51	斷後	125
題本房	38	贊善	95	斷流	136
		贊禮郎	90	關口守衛	107
		邊岸	206	關切	183
十九畫		邊疆	205	關引科	37
餽送禮物	249	繹祭	183	關防	157
藥房	7	繹奠	182	關稅	219
贈終衣	144	離任	197	關津科	37
繩愆廳	5	離異歸宗	261	關雎宮	56
簾子庫	47	懶惰	213	關節	206
穩婆	111	懶惰偷安	259	關隘	219

關隘名	63	寶相閣	56	嚴查參究	252
		寶泉局	16	嚴格查禁	252
二十畫		寶源局	16	嚴緝無蹤	252
黨惡互證	227	覺義	84	嚴飭諸軍	258
犧牲所	39	覺羅	112	嚴審	203
警衛嚴密	244	覺羅莊	70		
爐頭	113	覺羅學	35		
蘆課銀	151	蘇子河	66	**二十一畫**	
嚷鬧	172	蘇巴爾罕	66	齎送到臣	250
攘除奸凶	253	蘇拉處	19	籐牌兵	158
籍沒入官	245	蘇克素護河	66	櫺星門	53
譯漢官	87	蘇克素護愛滿	75	屬地	161
孽子	97	勸解	187	籐廠邊門	70
騰地方	169	勸墾	216	蘭翎	105
攏亂	159	勸懲	216	蘭翎長	105
繼父母	183	勸諭招徠	233	鐵匠	95
繼恩齋	57	議官	162	鐵嶺	67
纂修官	81	議奏	214	續文獻通考館	21
纂修官	92	議處	222	續出	183
攔截別人說話	158	議敘	145	續辦事章京	96
攔頭	92	議政處	34	續繼	183
闡教	84	議政大臣	111	護理	190
闡福寺	60	嚴加議處	252	護衛	118
寶石	138	嚴行申飭	252	護軍	91

護軍校　　　　　　109
護軍營　　　　　　14
護軍統領　　　　　104
護軍統領衙門　　27
護軍參領　　　　　91

二十二畫

贖罪銀　　　　　222
彎曲　　　　　　164
權衡三界　　　　54
懿旨　　　　　　219
攤派　　　　　　153
鑄印局　　　　　25
驍騎校　　　　　118
驍騎副參領　　　81
聽用長隨　　　　98
聽便　　　　　　175
聽許財物　　　　232

二十三畫

麟趾宮　　　　　57
讋敵　　　　　　213

襲職　　　　　　162
戀職　　　　　　197
顯佑宮　　　　　59
竊盜　　　　　　94
竊盜　　　　　　177
體仁閣　　　　　55
體西廉明　　　　248
變產賠補　　　　242
變臉　　　　　　193
變價　　　　　　168
變價銀　　　　　168
驛丞　　　　　　112
驛巡道　　　　　112
驛傳科　　　　　35
驛站官　　　　　112
驛站監督衙門　　34
驗收試騎　　　　250
驗到　　　　　　209
驗封清吏司　　　37
驗看　　　　　　145
驗票　　　　　　171

二十四畫

蠶宮令　　　　　93
靈臺郎　　　　　117
鷹户　　　　　　112
鷹把式　　　　　112

二十五畫

廳房　　　　　　22
灤陽邊門　　　　50
灤陽邊門　　　　63
觀星臺　　　　　8
觀律懷刑　　　　261
贓官　　　　　　196
贓罰庫　　　　　47
贓變銀兩　　　　249
鹽大使　　　　　100
鹽法　　　　　　190
鹽政　　　　　　100
鹽茶道　　　　　100
鹽徒　　　　　　190
鹽庫　　　　　　46
鹽賊　　　　　　190
鹽運使　　　　　100
鹽課銀　　　　　190